UNS BRASILEIROS

MARIO PRATA

ENTREVISTA

UNS BRASILEIROS

1ª EDIÇÃO

EDITORA RECORD
RIO DE JANEIRO • SÃO PAULO
2015

CIP-BRASIL. CATALOGAÇÃO NA PUBLICAÇÃO
SINDICATO NACIONAL DOS EDITORES DE LIVROS, RJ

P924m

Prata, Mario
Mario Prata entrevista Uns brasileiros / Mario Prata. - 1. ed. - Rio de Janeiro: Record, 2015.

ISBN 978-85-01-10427-4

1. Humorismo brasileiro. I. Título.

15-20940 CDD: 869.97
CDU: 821.134.3(81)-7

Revisão histórica: Angela Marques da Costa
Projeto gráfico: Leonardo Iaccarino
Ilustrações: Lézio Junior

Texto revisado segundo o novo Acordo Ortográfico da Língua Portuguesa.

EDITORA RECORD LTDA.
Rua Argentina, 171 - 20921-380 - Rio de Janeiro, RJ - Tel.: 2585-2000

Impresso no Brasil
ISBN 978-85-01-10427-4

UMAS HISTÓRIAS PARA OLIVIA E DANIEL

SUMÁRIO

Pedro Álvares Cabral 11
Içá-Mirim 21
Padre Anchieta 33
Bispo Sardinha 43
Arariboia 53
Calabar 65
Chico Rei 77
Aleijadinho 87
Xica da Silva 93
Dona Maria I, a Louca 107
Tiradentes 117
Dom João VI 127
Dom Pedro I 137
Maria Quitéria 149
Marquesa de Santos 159
Dona Beja 167
Madame Lynch 177
Carlos Gomes 187
Dom Casmurro 199
Castro Alves 209
Rui Barbosa 219
Charles Miller 229

PREFÁCIO

O tempo presente e o tempo passado
Estão ambos talvez presentes no tempo futuro
E o tempo futuro contido no tempo passado.
Se todo tempo é eternamente presente
Todo tempo é irredimível.
O que poderia ter sido é uma abstração
Que permanece, perpétua possibilidade,
Num mundo apenas de especulação.
O que poderia ter sido e o que foi
Convergem para um só fim, que é sempre presente.

T.S. ELIOT, "BURNT NORTON",
TRADUÇÃO DE IVAN JUNQUEIRA

Este é um livro de ficção.
Qualquer semelhança com pessoas
vivas ou mortas terá sido uma
enorme coincidência.

But it's all true...

PEDRO ÁLVARES CABRAL,

QUE JÁ VALEU MIL CRUZEIROS

* BELMONTE, PORTUGAL, 1467 OU 1468 † SANTARÉM, PORTUGAL, 1520

Se você nasceu antes dos anos 1970 se lembra muito bem dele: o cabral. Um cabral valia mil cruzeiros. E lá estava a "foto" dele, qual Washington ou o Barão do Rio Branco. E na foto ele era um velho com uma barba branca e longa. Ledo engano.

Pedro Álvares Cabral tinha 32 anos quando descobriu o Brasil.

Virou nota de mil apesar de ter estado uma única vez no Brasil por onze dias. Entre 22 de abril e 2 de maio de 1500. E saibam que até hoje se discute em Lisboa por que deram a empreitada da descoberta àquele rapaz, que era apenas um fidalgo (filho de algo) da corte. Fofocas palacianas cogitaram que era pelo fato de ser casado com dona Isabel de Castro, cuja família tinha lá suas influências nos corredores palacianos. Mentira: Pedro e Isabel só se casariam em 1503, depois de ele ter enriquecido muito com uma viagem para a Índia naquele mesmo mês de maio. Contrabando puro e oficial, com o dinheiro dos portugueses, sem impostos e sem declaração. E mais: Isabel não era irmã de Inês de Castro, aquela que agora é morta. Um pouco de Google não faz mal a ninguém: "Inês de Castro é um episódio lírico-amoroso que simboliza a força e a veemência do amor em Portugal. O episódio ocupa as estâncias 118 a 135 do Canto III de *Os lusíadas* e relata o assassinato de Inês de Castro, em 1355, pelos ministros do rei D. Afonso IV de Borgonha, pai de D. Pedro, seu amante." E este D. Pedro não era nem o I, nem o II e muito menos o Álvares Cabral.

Como não confiavam muito no nosso primeiro Pedro como navegador, mandaram junto vários craques da seleção portuguesa, como Alberto da Costa Pereira, Eusébio da Silva Pereira, Mário Coluna e Coentrão.

Nesta entrevista, mais do que exclusiva, ele fala do Descobrimento do Brasil, não explica direito por que viajava com treze barcos nem para que uma tripulação de 1.500 homens. Colombo, por exemplo, para descobrir toda a América usou apenas três cascas de nozes. Cabral fala de sua suposta relação com Paulo Salim Maluf, fala de Colombo e Américo Vespúcio (senti uma certa inveja por parte de Cabral), comenta o vinho tomado durante a viagem de 44 dias do Tejo à Bahia de Porto Seguro. E cochicha sobre nudez. Sussurra sobre homossexualismo.

— Afinal, seu Cabral, o Descobrimento do Brasil foi por acaso ou intencional?

— Ora, pois. Naquela manhã de 9 de março de 1500, lá no Restelo, às margens do Tejo, naquela festa toda que foi o embarque... Tu imaginas o que eram treze navios com 1.500 homens? Dos quais setecentos eram soldados bem-treinados.

— O senhor não respondeu à minha pergunta.

— Sim, sim. Pois naquela balbúrdia, pouco antes do embarque, dom Manuel I (que ainda não era chamado de primeiro porque não tinha o segundo, percebes?) me chama ao pé da nau e diz: "Ó Cabral, já mandamos esticar a linha do Tratado de Tordesilhas mais para a esquerda, de 100 para 370 léguas a oeste de Cabo Verde. Se Colombo, que era aquele parvo, chegou a Cuba antes até mesmo do Fidel, tu indo mais ao sul és capaz de encontrar terras, ouro, papagaios e jogadores de futebol. Mete lá a nossa bandeira e uma cruz, e manda cá de volta uma nave com as novas, que, espero, alvissareiras. Depois segue para as Índias."

— Por que tanta gente? Se minhas contas não estiverem erradas, 1.500 pessoas eram três por cento da população da Lisboa.

— Exatamente. Dois motivos. Poderíamos encontrar hordas hostis (gostou do "hordas hostis"?) no novo mundo. E, principalmente, estávamos de olho numa cidade na Índia, Calecute, para deixar plantadas as sementes de cidades-colônias. Portugal, como sabes, queria as especiarias que os italianos, os árabes e os turcos estavam nos vendendo aos olhos da cara.

— Então, não foi sem querer. Vocês viajaram para descobrir o Brasil.

— Achar. Até hoje se comemora em Portugal o Achamento do Brasil. Quem procura sempre acha, conheces a expressão por aqui?

— Alguns historiadores reclamam do senhor e da sua trupe pelo fato de hoje os deputados, advogados e uns babacas usarem terno e gravata. Além dos pastores.

— Não estou a entender.

— Quando o senhor chegou, os índios estavam nus.

— Da cabeça aos pés.

E depois de uma pausa:

— E as raparigas também — diz ele mais baixinho.

— E vocês, vestidos. Com muitas roupas, botas, sapatos. Sujos e fedendo. Quarenta dias sem banho!

— Não estou a entender aonde queres chegar.

— Como já disse o Eduardo Bueno, em vez de vocês tirarem a roupa e ficarem todos nus, preferiram vestir os índios. Poderíamos ser hoje um país com roupas mais tropicais, mais leves e não tão europeizadas como somos. Faz muito calor no Brasil, seu Cabral. Principalmente na Bahia, onde o senhor ficou.

— Interessante. Não havia pensando sobre esse ponto de vista.

— Pois devia!

— Tu vês: demos roupas apenas para os homens. As mulheres continuaram peladas — sussurra Cabral e continua: — E vou te dizer mais: quando viram o avantajado sexo dos meus homens, se encantaram. Vários dos nossos se esconderam nas matas na hora de ir embora. Além de dois degredados que deixamos aqui. Lembro-me de já estar além das ondas, partindo para as Índias, quando alguns soldados pularam n'água e nadaram para a terra firme. Como disse um historiador português, "moças bem moças e bem gentis, com cabelos muito pretos e compridos pelas espáduas; e suas vergonhas, tão altas e tão cerradinhas e tão limpas das cabeleiras que, de as nós muito bem olharmos, não se envergonhavam". — E dá um risinho quase infantil, faz longa pausa, como se estivesse se lembrando das indiazinhas. — Quer dizer que as brasileiras não continuam nuas?

Pensa no assunto.

— E, por falar em brasileiro de terno e gravata, qual é a sua relação com o senhor Paulo Salim Maluf?

— Desconheço. É um brasileiro nu ou vestido? Por que a pergunta?

— No seu túmulo, em Santarém, no altar da igreja tem uma placa de mármore, pesadíssima, onde se lê: "A Pedro Álvares Cabral, descobridor do Brasil, a homenagem de Paulo Salim Maluf." Tá lá. Pode perguntar para a indiazinha Giulia Gam que estava comigo quando estive lá, na Igreja da Graça. Seu túmulo no chão e a placa no alto. Nunca ouviu falar dele?

— Desconheço a pessoa... Uma vez numa ilha do Caribe... Não, não era ele. Nunca ouvi falar em nenhum Maluf!

1000
ESTAMPA
1A
SÉRIE
3875A
009236
MIL CRUZE
VALOR LEGA
AMERICAN BANK NOTE COMPANY
VINHO
BRANCO

— Ok. Vamos falar sobre a sua ossada.

— Minha ou do senhor Maluf?

— Sua. Existem umas dúvidas, uma celeuma, sobre os seus ossos.

— O senhor prometeu não entrar na minha intimidade. Não quero falar dos meus ossos nem dos meus intestinos.

— Osso não é intimidade. O senhor faleceu em 1520, aos 52 anos. Seu corpo foi enterrado em Santarém. Seis anos depois, quando morreu sua senhora, a dona Isabel, exumaram o corpo do senhor e enterraram os dois na igreja da Graça, certo?

— Onde tem a placa do Mafuz.

— Maluf. Ainda não tinha. Então: enterraram vocês dois. Três séculos depois, em 1882, houve uma reforma, e mexeram no túmulo onde deveriam estar os restos mortais de duas pessoas, certo?

— Perfeitamente.

— Pois lá estavam as ossadas de duas mulheres e de um homem. E, junto, a ossada de um carneiro.

— O senhor está a brincar comigo! Ora, onde já se viu tamanho disparate! Um carneiro, esta é muito boa! No meu túmulo, junto a Bel!

— Está nos anais, senhor! Dizem que os túmulos podem ter sido remexidos durante a invasão de Napoleão no começo do século XIX.

— Não tenho mais nada a dizer! E o Bonaparte não teria interesse algum em mexer nos meus ossos. Se ainda fossem do João.

— Que João?

— O VI, o fugitivo! Dom João VI.

Cabral levanta-se, pega uma garrafa de vinho tinto Pera-Manca e serve duas taças. Então, continua.

— Não falemos mais do passado. Mesmo com essas baboseiras todas que estás a dizer, sou um bom anfitrião. Este vinho, o Pera-Manca, foi o usado pelos meus homens no achamento do Brasil.

— Agora sou eu que não acredito.

— Um dos navios era praticamente um grande tonel.

Rimos, brindamos e damos um bom gole no excelente vinho.

— Dizem que dos treze navios que partiram do Tejo só cinco voltaram depois de passar pelo Brasil e pelas Índias. E que o senhor levou fortunas. Da Índia.

— Estou a falar com jornalista ou com um fiscal do imposto de renda?

— E quanto à sua briga com o Américo Vespúcio e à inimizade com o Cristóvão Colombo?

— Olha, para encerrar, já que mencionaste os dois aldrabões. O italiano Vespúcio esteve um ano depois aqui numa viagem comandada por Gonçalo Coelho, em maio de 1501. E ele passou mais tempo aqui e pode dar muito mais informações do que o nosso querido Pero Vaz. Ele foi bem mais ao sul. Era filho de família muito rica, amigo dos Médici. Ele também aprontou em várias viagens nas quais começaram a chamar a nova terra de América. Se vivesse hoje seria um playboy metrossexual. E o Colombo era outro italianinho metido a engraçadinho. Dizem até que ele era português, porque à primeira ilha que descobriu deu o nome de Cuba, uma cidadezinha menor que Belmonte em Portugal. É tudo fofoca. Vespúcio e Colombo eram italianos. Queriam fama e poder! E o Colombo só pensava em grana. Sua expedição foi custeada pela coroa espanhola e pelos banqueiros.

— Como?

— Eu não disse nada.

— E homossexualismo entre os 1.500 homens? Existia? Além do Pero Vaz de Caminha, que levou dois adolescentes índios para Leiria, em Portugal?

— O Pero não levou ninguém! Mais uma taça? — pergunta, então sussurra: — O Pero era escritor, pois? Este pessoal das artes... Tem uns paneleiros, não é mesmo? Como escrevia bem! Mas, repito, não levou nenhum indiozinho, não! — Então, em tom normal: — Chegou a ler a cartinha dele?

— Adoro a parte dos índios conhecendo as galinhas.

— Ah, aquela passagem é supimpa! Naquela noite, lá na minha cabine, um dos índios viu um colar de ouro, pegou e apontou a terra firme, como a dizer que lá tinha muito ouro. Valeu a viagem, não é, pois? Mais Pera-Manca?

— É verdade que estavam todos bêbados quando descobriram o Brasil? Um navio inteiro só de vinho... 44 dias em alto-mar! Dizem que um navio se perdeu entre Cabo Verde e a Bahia. É verdade? Conta mais do Pero Vaz de Caminha com os indiozinhos. Como eles se chamavam?

Ele cora de vergonha. E de um pouco de raiva.

— Desliga a maquininha, por favor. Como chama mesmo? Gravador, pois? Dei dois tapinhas nas costas dele.

— E o senhor, comeu quantas índias?

O ÍNDIO IÇÁ-MIRIM TINHA TUDO PRA SER CAPA DA CARAS

* SANTA CATARINA, BRASIL, 1490 † PARIS, FRANÇA, 1583

Monsieur Binot Paulmier de Gonneville, francês, passeava pela costa brasileira em 1504 com sua nau *l'Espoir* (*A Esperança*), segundo ele procurando as Índias. Encalhou na costa, numa ilha onde hoje se situa a cidade de São Francisco do Sul, em Santa Catarina. Encontrou índias (e não a Índia) e índios da tribo carijó, amigáveis. Logo se enturmou com o cacique Arô-Içá (que Binot chamava de Arosca), "estatura média, gordinho, de olhar bondoso", segundo Evaldo Pauli, professor da Universidade Federal de Santa Catarina, em relação à viagem do capitão De Gonneville.

Resumindo a história: durante seis meses a tripulação francesa e os índios conviveram como grandes amigos enquanto consertavam os danos da nau. Os franceses começaram a entender a língua dos índios, que por sua vez arranhavam um francês que dava para o gasto.

Ao partir, o capitão De Gonneville sugeriu levar o filho caçula de Arosca. Içá-Mirim (Formiga Pequena) tinha 14 anos. Os franceses, que pronunciavam Içá-Mirim como "Essomericq", diziam que ensinariam o manejo das armas ao garoto, na França. E prometeram que em vinte luas o devolveriam. Vide o certeiro livro *Vinte luas*, de Leyla Perrone-Moisés.

A volta para a Europa foi tumultuada. Várias pessoas morreram de escorbuto, inclusive outro índio que acompanhava Içá-Mirim. Resolveram batizar o índio sobrevivente, "para que sua alma não ficasse vagando no infinito". Içá-Mirim não entendeu nada. Mesmo porque rolou tudo em latim.

A viagem demorou seis meses, e o navio acabou naufragando perto da costa francesa. Dos sessenta navegantes, 31 se salvaram, incluindo o capitão e seu "afilhado", que chegou à praia nadando. Com isso, De Gonneville quase foi à ruína. Ninguém quis financiar sua volta à terra dos carijós.

Içá-Mirim nunca mais retornaria ao Brasil. Pelo contrário, afrancesou-se. Passou a usar o nome da família De Gonneville. Binot de Gonneville, *d'accord*? Pouco sabemos sobre a vida dele em Paris. Estudou, tornou-se católico, casou-se com a Suzanne, uma das sobrinhas do capitão (que não tinha filhos), teve catorze filhos e morreu com 93 anos em 1583. Quando faleceu, era conhecido como Barão De Gonneville.

Eu deveria dizer "pouco sabíamos" sobre a vida dele na França. Porque, nesta entrevista, ele conta tudo. Tudo.

Em tempo: antes de partir do Brasil, o capitão De Gonneville fincou uma enorme cruz na praia carijó, onde escreveu alguns nomes. Entre eles, o do papa de plantão, Alexandre VI, pai sabe de quem? Da Lucrécia Bórgia, que, aliás, não tem nada a ver com a nossa história.

Conversamos durante um passeio pelo rio Sena, num dos Bateaux Mouches, muito bem-acomodados no convés superior. Era uma bela tarde do outono. E o vinho — nacional —, de primeiríssima qualidade. Nosso índio entendia de vinhos franceses como poucos.

Deve ter um metro e sessenta e pouco, musculoso, bonito. Com o frio europeu perdeu a cor selvagem. Os cabelos continuam lisos e negros. Penteados para trás.

Passávamos pela Pont Neuf, e ele me diz:

— Esta foi a primeira ponte de pedra sobre o Sena. Eu estava aqui quando começou a construção, em 1578. Eu já tinha 88 anos e me lembro bem.

— Vamos desde o início. Como quer que te chame? Içá-Mirim, Essomericq ou Barão De Gonneville?

— Binot, por favor.

— Como foi a viagem de vinda, Binot?

Ele ri do meu péssimo sotaque e, fazendo biquinho, repete com a pronúncia correta.

— A viagem do Brasil para cá foi exatamente como tu descreveste. Naquela época, eu nem sabia que aquilo se chamava Brasil, imagina... Tu só não disseste que, antes de atravessarmos o Atlântico, fizemos ainda algumas paradas em praias brasileiras e topamos com índios antropófagos. Que falta de educação, né? Soube que comeram até um bispo.

— Sim, o bispo Sardinha. Aí tu chegaste ao litoral aqui da França nadando.

— Sim. Claro que fui o primeiro a chegar. Os franceses não eram bons nadadores. Aliás, até hoje. O negócio deles é bicicleta.

— Quando você chegou aqui, em 1505, já existia bicicleta?

— *Oui*. Inclusive o nome é francês. *Bicyclette*, que vem de *bicycle*, união de *bi*, dois, com a palavra grega *kyklos*, roda.

— Eu estou te achando muito culto, *monsieur* Binot.

— Estudei no melhor colégio de Paris. O colégio do professor Robert de Sorbon, que, séculos depois, se tornaria a Universidade

Sorbonne. O cardeal Richelieu estudou lá.

— Foi seu colega de classe?

— Não, uns anos depois.

— Qual foi a sua primeira impressão de Paris?

— Bem, eu não vim diretamente pra cá. Aqui na França, o que mais me assustou é que ninguém (mas ninguém mesmo!) tomava banho naquela época. Me lembro que quando chegamos a Paris eu fiquei nu e me atirei no Sena. Fui preso, é claro. Meu protetor era importante, entende? Me soltou. O que mais me impressionou mesmo foi a igreja de Notre-Dame, na Île. Quando entrei lá pela primeira vez, eu chorei, pela beleza. E uma cerimônia linda de batismo estava acontecendo. Disse em casa que queria ser rebatizado lá. E fui. Naquele tempo, não tinha o arco do Triunfo, o Louvre, a torre, naturalmente. Mas tinha o Hôtel de Ville, a igreja de Saint-Germain.

— Você não sentia falta de Santa Catarina, das praias, das índias?

— Só das índias. Quando eu vim, meu pai já estava bem velhinho. Deve ter morrido logo. E tinha vários filhos para cuidar dele. Só não voltei mesmo porque a situação de grana aqui estava apertada. Mas depois eu não queria. Virei francês, eu acho. Frequentava a corte, imagina. Paris tinha 185 mil habitantes, quando cheguei.

— Já era uma cidade culta?

— Eu tive a sorte de pegar o fim da Idade Média e o começo da Idade Moderna, com o Renascimento. O Renascimento aqui na Europa, com as devidas proporções, mudou tudo, como os anos 1960 no Brasil.

— O Renascimento rolou mesmo foi na Itália.

— Sim, mas repercutia em toda a Europa. Paris, Londres, Viena. E não foi só nas artes. Com a Idade Moderna, o Renascimento, aconteceu a transição do feudalismo para o capitalismo. É muito mais do que passar da máquina de escrever para o computador, *mon ami*. E quer saber mais? Eu li Rabelais no original. Nascemos na mesma década: 1490.

Achei que o índio estava começando a mentir.

— *Gargântua e Pantagruel*?

— Os cinco volumes. Ele era padre e médico, sabia?

— Não.

— Já leu?

— Te confesso que não.

— Tem um capítulo inteiro em que ele faz um estudo sobre a melhor maneira de limpar o cu, se me permite a expressão. Livro Primeiro, capítulo XIII.

— E a que conclusão ele chegou? Se é que chegou.

— Claro! Sei de cor esta parte. Na belíssima tradução de David Jardim Junior, lá das suas Minas Gerais.

Não acredito em mais nada. Depois, chego ao hotel, baixo o e-book e leio o Rabelais: "Mas, concluindo, digo e sustento que não há limpa-cu igual a um ganso novinho, bem emplumado, contanto que se mantenha a cabeça dele entre as pernas. E, pode acreditar, palavra de honra. Pois a gente sente no olho do cu uma volúpia mirífica, tanto pela maciez das penas como pelo calor temperado do ganso, o qual facilmente é comunicado ao cano de cagação e a outros intestinos, até chegar à região do coração e do cérebro."

Não é o máximo?

Ainda olho no dicionário para analisar melhor a tal "volúpia mirífica": "que sobressai pela opulência, riqueza, suntuosidade etc.; maravilhoso, extraordinário, magnífico". Acho que Rabelais quis dizer que uma das formas de se chegar ao orgasmo é enfiar um ganso (jovem) no cu. E eu venho aprender isso com um índio nascido em 1490! Sigamos pelo Sena.

— Das histórias que consegui ler sobre você, umas dizem que se casou com a sobrinha do De Gonneville, Suzanne. Outras, com uma filha dele, Marie. Tem livros que dizem que ele não tinha filhos. Dizem inclusive que...

— ...que ele seria pedófilo e que me trouxe com esses objetivos — corta ele.

— Sim, afogar o ganso, como diria Rabelais.

Então me dou conta de onde vem a expressão afogar o ganso.

— Nunca houve nada entre nós, senhor. Ele tinha uma filha num vilarejo. Poucos sabiam disso. Portanto me casei com a sobrinha Suzanne, com quem tive catorze filhos, e sempre fui amante de Marie, a filha. Tá pensando o quê? Índio também gosta. De mulher, *monsieur d'Argent.*

— *D'Argent?*

— *Monsieur du Prata.*

— E o seu encontro com Nicolas Durand de Villegaignon, em Rouen? Foi verdade?

— Sim, tem milhares de testemunhas. Bela cidade, Rouen. Cidade onde foi queimada Jeanne d'Arc, aos 19 anos.

— Não vai me dizer que conheceu Joana d'Arc!

— Jeanne d'Arc, La Pucelle d'Orléans? Claro que não.

Não consigo conter o riso ao ver o índio baixinho falando francês sem sotaque algum e com o biquinho necessário. A Donzela de Orléans, pois bem. Sigamos. Mas ele nota meu risinho e é educado.

— La Pucelle estava morta havia mais de cem anos, quando teve a festa em 1550. Tá me achando com cara de mentiroso, né? Estou sentindo isso. Índio não mente, branco mente. Me lembro até o dia: 1º de outubro de 1550. Eu estava com 60 anos.

— Não estou achando o senhor mentiroso, *monsieur* Binot.

Enquanto isso, ele abre um Chinon Clos de l'Echo. Logo depois de mais um brinde, voltamos a Rouen.

— Dia 1º de outubro de 1550, Rouen. Fizeram uma espécie de *happening*, chamado Festa do Índio ou coisa parecida. Levaram uns sessenta índios do Maranhão.

— Tá vendo? Isso significa que os franceses já estavam de olho no Maranhão. Já estavam caçando índios por lá. E exibindo em Paris.

— Tudo negócio, marketing. Montaram uma taba com tudo que tinha direito: ocas, redes, panelas, arco e flecha, tintas para o corpo, danças, cantos. E o povo andava e observava tudo. O povo era: o rei Henrique II, da França; Catherine de Médici; Marguerite, filha do rei; Mary Stuart, da Escócia, duques, condes, embaixadores da Espanha, da Inglaterra e da Alemanha. Fora toda a corte francesa. *Et moi, évidemment*. Fizeram uma teatralização da vida selvagem brasileira que durou dois dias. Trouxeram micos, saguis, papagaios, araras e o mico-leão-dourado, que já estava em extinção desde aquela época. Tinha até índio transando em rede.

Como diz o professor Dirceu Magri, da USP, "mais que uma exibição, o que se viu ali foi verdadeira mostra de como se passava a vida aquém do oceano. Índios e figurantes pescavam, caçavam, namoravam nas redes, colhiam frutas e transportavam pau-brasil. Houve inclusive uma simulação de ataque à aldeia tupinambá, que foi assaltada por um bando de índios tabajaras, os quais, no Brasil, eram aliados dos portugueses. No combate simulado, árvores vieram ao chão, canoas foram viradas e ocas foram incendiadas. Ao fim do ataque, óbvio, os tupinambás, aliados dos franceses, derrotaram os tabajaras".

— E qual a intenção do happening?

— "Vender o Brasil" para os europeus. Convencer os caras a conquistarem o Brasil. Por exemplo: estava lá o tal de Nicolas Durand de Villegaignon, que devia ter uns 40 nos. Quatro anos depois ele iria invadir o Brasil pela baía de Guanabara. Essa história quem pode contar é meu conterrâneo Arariboia, se tu fores entrevistá-lo. Outro grande brasileiro do século XVI. Entreviste. Figuraça! Além de tudo, fundou a cidade de Niterói, depois de colocar o Villegaignon para correr.

PADRE ANCHIETA,

UM POETA QUASE BEATNIK: ME PEGARAM PARA SANTO

* TENERIFE, ESPANHA, 19 DE MARÇO DE 1534 † RERITIBA, ES, BRASIL, 9 DE JUNHO DE 1597

Confesso que fiquei impressionado com o padre José de Anchieta. Pouco sabia sobre ele: que ficava a escrever poemas nas areias da praia de Iperoig, mostrava o crucifixo para afastar as onças e havia fundado a cidade de São Paulo com seu superior, o padre Manuel da Nóbrega. Há pouco tempo foi declarado santo pelo papa Paco. Mas ele foi muito mais do que isso.

Pra começar, marcou a entrevista num barzinho na famosa praia onde escrevinhou os 4.172 versos de sua pequena obra-prima *Poema à Virgem* (*De Beata Virgine Dei Matre Maria*), que escreveu em latim e as ondas do mar apagavam estrofe a estrofe. Mas ele sabia tudo de cor.

A primeira surpresa foi que não era português, e sim espanhol. Hoje é rodovia (via Anchieta), construída pelo então governador Ademar Pereira de Barros, um político simpático e bonachão; uma Fundação Anchieta, que mantém a TV Cultura de São Paulo; algumas cidades; vários colégios; nenhum time de futebol.

Quem foi este homem que chegou ao Brasil com apenas 20 anos, depois de ter estudado filosofia e humanidades na Universidade de Coimbra? Ainda não era padre, era irmão.

E você acredita que o padre José de Anchieta era chamado de Pazé pelos índios?

Minha primeira surpresa ao chegar ao Boteco das Ostra (assim mesmo, sem o plural), na praia de Iperoig (na cidade de Ubatuba), foi não reconhecer, entre as poucas pessoas que ali estavam, meu entrevistado. Também pudera: ele estava de camiseta, bermudão, bebendo cerveja e comendo ostras cruas. Me fez um sinal e foi logo começando a falar.

— Te convidei para a entrevista aqui neste bar por dois motivos. Primeiro, porque era logo ali que eu ficava escrevendo o poema da Virgem. Segundo, e mais importante, porque exatamente aqui foi assinado o primeiro acordo entre os índios e os portugueses. Se chamou Tratado de Paz de Iperoig. Ou Confederação dos Tamoios.

— Desculpa a minha ignorância, mas o que era o tratado?

— Os portugueses estavam separando as famílias dos índios, levando os homens para trabalhar em engenhos de cana-de-açúcar em São Vicente. Escravidão mesmo. Aí os índios, liderados pelo Cunhambebe, formaram uma grande confederação com poder de guerra imenso. Milhares de índios e centenas de igarás, canoas onde cabiam mais de vinte deles. Estavam a fim de destruir São Vicente e Itanhaém. E iam conseguir.

— E onde foi que o senhor entrou?

— Você, por favor. Tinha apenas 20 anos na época. Pediram a Pamané, ao padre Manuel da Nóbrega, e a mim, o Pazé, que a gente tentasse fazer as pazes com eles, os tupinambás e seus vizinhos. Tinha os tamoios na jogada também. Era índio que não acabava mais. Graças à nossa diplomacia e à boa vontade dos caciques Cunhambebe Filho, Pindobuçu e Coaquira, fizemos as pazes e assinamos o contrato. Demorou várias semanas. Fiquei como refém muito tempo enquanto o Pamané foi a São Vicente com o Cunhambebe Filho pra negociar. Me trataram muitíssimo bem.

— E os portugueses pararam de escravizar os índios?

— Imagina! No ano seguinte já deu caca. Para tu teres uma ideia, quando a gente chegou aqui, diziam que a população indígena era entre 4 e 5 milhões. Portugal inteiro, na época, tinha pouco mais de 1 milhão. Hoje qual é o número de índios no Brasil?

— Não chegam a 500 mil.

— Foi de doer, irmão! Quase um Holocausto.

Me lembro dos desenhos que temos dele. Está sempre curvado, como se sempre tivesse sido um velhinho. Quero matar a curiosidade.

— Nos desenhos e quadros que o retratam, você está sempre curvado...

— Ainda sou assim. É uma cifose, um traumatismo do seminário. Uma escada caiu nas minhas costas, imagina? Fraturei algumas costelas. Aquelas escadas de biblioteca, sabe?

Ele se levanta, e percebo o que era. Ele sorri.

— Mudando de assunto, Pazé, dizem que você escreveu uma espécie de gramática, um dicionário da língua tupi. Tu ainda tens este material?

— Eu soube que D. Pedro II tinha um. Foram feitos só sete, acredita? A arte de gramática da língua mais usada na costa do Brasil. Foi impressa em Coimbra em 1595 — dois anos antes da minha morte — por Antonio Mariz. Dizem que tem dois exemplares na Biblioteca Nacional do Brasil, no Rio de Janeiro. Espero que estejam bem cuidados.

— Teu outro livro, *De gestis Mendi de Saa* (*Os feitos de Mem de Sá*), conta a luta dos portugueses chefiados pelo Mem de Sá contra os franceses na Guanabara.

— Sim, ele e seu sobrinho, o Estácio, que havia fundado São Sebastião do Rio de Janeiro. Participei da luta contra os franceses no Rio em 1567, ao lado deles. Fomos ajudados por um índio, de nome Arary-boia, que ficou registrado na história do tempo como Martim Afonso Arariboia — e era amigo dos portugueses desde a época em que a terra de Piratininga foi desbravada. Com seus índios esteve ao lado do Estácio para ajudar a se fixar na terra dos arqui-inimigos tamoios. Se não me engano, foi ele quem fundou a cidade de Niterói. O Estácio de Sá hoje virou escola de samba, né?, a Estácio. Muito boa a família Sá. Tinha os Guarabyra também. Gente muito musical. Os franceses também tentaram Pernambuco e Maranhão, e sempre foram expulsos. E sempre com a ajuda dos índios, o que é muito importante.

— Dizem que o seu livro *De gestis Mendi de Saa* é uma epopeia renascentista e foi comparado a *Os lusíadas*, de Luís de Camões, como primeiro poema épico da América.

— O que é isso, companheiro?, como diria o Gabeira. Quem sou eu? Camões é o cara!

Anchieta chama o garçom, que parece ser um velho amigo, com um gesto.

— Traga mais duas tulipas (chope, em Portugal). E umas ostras, agora ao bafo.

Eu me imagino levando-o para São Paulo e o soltando ali na praça da Sé. O que ele acharia da cidade que ajudou a fundar? Não, não faria essa maldade com ele.

— E a fundação de São Paulo?

— Isso foi bem antes, em 54. Eu tinha 20 anos. E vou te confessar uma coisa. Eu não queria esse nome. Era dia de São Paulo Apóstolo, 25 de janeiro, percebes?, e o Nóbrega insistiu, e, como era meu superior... Sabe qual era a população da cidade no dia da sua fundação? Cento e trinta pessoas. Das quais apenas 36 eram batizadas.

— Tu não querias o nome de São Paulo? Por quê?

— No dia da fundação, eu me lembro de ter mandado uma carta para os nossos superiores da Companhia das Letras, perdão, da Companhia de Jesus, assim: "A 25 de janeiro do ano da graça de 1554 celebramos em paupérrima e estreitíssima casinha a primeira missa, no dia da conversão do Apóstolo Paulo, e, por isso, a ele dedicamos nossa casa." A casa era o colégio, o Pamané queria que a cidade também tivesse o mesmo nome.

— Repito: por que tu não querias o nome de São Paulo?

— O Paulo era muito careta e reacionário. Olha os absurdos que ele dizia: "É bom para um homem não ter relações sexuais com uma mulher." Pode? E concluía: "Mas, devido à tentação de imoralidade sexual, cada homem deve ter a sua própria mulher e cada mulher o seu próprio marido. Eu desejo que todos sejam como eu sou. Para os solteiros e as viúvas digo que é bom para eles permanecer como eu sou. Mas, se eles não podem exercer autocontrole, devem casar." Tu acreditas que um cara, eu, no auge do Renascimento, ainda tinha que acreditar numa babaquice dessas?

— Sem querer entrar em intimidades, mas as índias todas nuas por aí não eram uma tentação para a carne?

— Como tu disseste, não vamos entrar na intimidade. Eu era um garoto, cara, que como tu amava os Beatles e os Rolling Stones!

— Há três séculos os brasileiros lutavam para que você fosse o nosso primeiro santo. Você foi mesmo santo?

— Imagina! O Brasil gosta de criar heróis. E tinha o complexo de não ter nenhum santo brasileiro: aí me pegaram pra santo. Deixa isso pra lá. Santo hoje em dia não tá com nada! Não tem que ter dois milagres pra ser santo? Nunca fiz nenhum milagre. E, cá entre nós, não acredito em milagres. Acredito em fé. Nem a penicilina faz milagres. O desagradável de virar santo é que o padre Manuel da Nóbrega deve estar morrendo de inveja, coitado. Entrevista ele. Dá uma forcinha pra ele.

Pedimos mais ostras. De novo, ao bafo.

— Como o você vê a Igreja Católica hoje?

— Caduca, né? Cada vez elegem papas mais velhos e retrógrados. Alguns simpáticos, mas velhinhos. Aí o Edir Macedo deita e rola. Eles precisam parar de prometer o Céu, a felicidade para o neguinho, depois da morte. Ninguém mais entra nesse lero, não. O que faz o Edir? Promete a felicidade imediata. Simples. Aqui e agora. O primeiro papa da Igreja Católica tinha 30 e poucos anos. O Pedro. Aí dava para fazer um planejamento a longo prazo. Não adianta colocar alguém lá com quase 80 anos, como o Francisco. Gosto muito dele e quero até aproveitar para agradecer a ele por ter assinado a documentação me tornando santo.

— E a pedofilia? Já existia no seu tempo?

— Existia, existe, e o motivo é óbvio. É aquele negócio do apóstolo São Paulo. Tem que mudar tudo. Como uma religião pode proibir um ser humano de amar e praticar o sexo? Como uma igreja pode proibir o prazer? O celibato clerical foi imposto pelo famoso Concílio de Trento (1545-1563), quando eu já estava aqui. Me viro no túmulo pensando nisto. E a Igreja não tem nem desculpa. E eles ainda pregam o celibato até hoje? Caducaram! Quase cinco séculos de masturbação e pedofilia. — Dá um grande gole no chope, estala a língua. Come ostra. — Sabia que fomos nós, os padres, que inventamos a cerveja?

— Ouvi dizer. Na Alemanha, né?

— Sim, os abades alemães criaram a bebida — como a conhecemos hoje — para tomar nos retiros espirituais, que duravam quarenta dias. Inventaram uma bebida que alimentasse, pois eles tinham que ficar em jejum. A base era malte, lúpulo e água. Fizeram até uma lei. Isso lá pelo século XIII. Com a descoberta do fermento em 1860, pelo francês Pasteur, bagunçou tudo. A lei teve que ser alterada. A cerveja alemã ainda é a melhor do mundo.

— Tem a belga também.

— Sou mais a alemã. Vai por mim, meu filho, nasci em 1534. Já vivi muito, muito tempo. Vai mais uma?

— Vamos lá. Pazé, tu já leste Ginsberg e Kerouac?

— Fiz até um poema num trajeto Santos-São Paulo chamado “On the Road”, versão em latim. Ouvi dizer que os irmãos Campos têm um exemplar. Eu gosto mesmo é do Chico Buarque.

BISPO SARDINHA:

APESAR DE TER SIDO LITERALMENTE COMIDO PELOS ÍNDIOS, NÃO PERDEU O HUMOR

* ÉVORA, PORTUGAL, 1496 † LITORAL DE ALAGOAS, BA, BRASIL, 1556

O português Pero Fernandes Sardinha entraria para a história do Brasil de qualquer maneira. Foi o primeiro bispo brasileiro. Ou melhor, nomeado para o Brasil.

Assumiu em 1552 e exerceu suas funções até 1556, quando, após naufragar na costa do Brasil, foi aprisionado e deglutido pelos índios caetés. Ele e mais de noventa ilustres brasileiros que talvez não tenham entrado para a história por não terem um sobre- nome tão rico. Tão rico quanto o de seu sucessor em Salvador, D. Pedro Leitão. Que, aliás, ninguém comeu. Que se saiba.

O bispo Sardinha, como era chamado pelas ruas do Pelourinho e na Baixa do Sapateiro, era um estudioso das anedotas e chistes (piadas) lusitanas e brasileiras. Quando naufragou, levava para Lisboa os originais de seu livro *Anedotarum et in parabolam, et in missa de Portugal-Brazilia*. As mais de trezentas piadas e anedotas foram para o fundo do mar. E nesta conversa franca e bem-humorada ele nos contou algumas. Você vai ter que aguentar.

Não era apenas para editar seus originais que ele viajava na nau — vejam a ironia — *Nossa Senhora da Ajuda*. O que o levava a Lisboa era justamente um pedido de ajuda ao rei D. João III. Relataria como os colonizadores tratavam os índios. Enfim, ia em defesa dos nativos. E estava recebendo ameaças dos portugueses por aqui.

A conversa com o bispo Sardinha aconteceu há pouco mais de um mês, quando o sol já estava começando a castigar o Nordeste, perto do local onde foi comido pelos caetés. De calção de banho, sandália havaiana, fumando cachimbo e usando óculos escuros, revelou-se um piadista de primeira.

— Jamais poderia imaginar que o senhor fumava cachimbo.

— Aprendi com os índios e me viciei. Sabe que o cachimbo é uma invenção indígena? O uso do cachimbo é do período pré-colombiano. Segundo os compêndios eletrônicos, "fazia parte de rituais sagrados dos povos ameríndios significando, para algumas culturas, a união do mundo terrestre (representado pelas folhas) com o celeste (representado pela fumaça)". Na prisão fumava muita maconha no cachimbo. Me obrigavam, que era pra abrir o apetite. Esse aqui é folha de cipreste mesmo.

— Oswald de Andrade adoraria ter conhecimento disso. O senhor sabia que esse grande escritor do século XX escreveu um manifesto antropofágico onde, indiretamente, cita o senhor?

— Já ouvi falar. Dele só conheço *O rei da vela*. Muito doido!

— Oswald dizia que só a antropofagia une os brasileiros, porque a formação da identidade brasileira só aconteceu depois de ter devorado e deglutido as culturas europeias.

— Pelo que eu entendi n'*O rei da vela*, o Oswald era meio *détraqué*, não era não? Não entendi quase nada!

— Vamos tomar uma cervejinha?

— Com umas sardinhas assadas?

Ri da própria piada: Sardinha comendo sardinha. Aliás, ele devia brincar com isso toda vez que comia sardinha. Até que um dia a sardinha comida foi ele mesmo. Humor negro.

— Dizem que aqui tem umas moelas de galinha-d'angola

muito boas.

— Jeremias, dois chopinhos e umas moelas. Daquelas — pede ele ao garçom.

— Há quem diga que o senhor não foi devorado pelos índios. Que foi o governador Duarte da Costa que mandou matá-lo e inventou a história da antropofagia para poder atacar os índios. Como foi que começou a sua briga com o governador-geral Duarte da Costa, em Salvador?

— Acho engraçada essa versão. Uma pena que ainda não existia nem cinema nem televisão para filmar o banquete, que foi como ficou chamada a minha deglutição.

Coloca mais erva no cachimbo, sorri, como quem se lembra de alguma coisa.

— E, por falar em índios, o senhor conhece aquela do casal de índios que só fazia sexo no escuro?

— Caetés?

— Serve para qualquer índio. Um dia, um jovem nativo foi até a minha cela na aldeia. Eles estavam me engordando para o banquete. Eu era muito esquálido e pálido. Fiquei num regime de engorda uns três meses. Acabei ficando amigo deles, entende? Então, um jovem índio, eu dizia, foi me procurar porque estava com um problema muito sério. Ele e a sua indiazinha se casaram sem conhecer muito bem o sexo. E só tinham relação dentro da oca e no escuro. Acontece que o índio andava desconfiado de que, às vezes, sem querer, eles estavam praticando coito anal. Está acompanhando?

— Sim, prossiga.

— E ele sabia que os portugueses diziam que fazer sexo anal levava para o inferno, onde era muito mais quente que a Bahia. O coitadinho queria saber como poderia descobrir, no escuro, se o negócio estava penetrando na frente ou atrás. Aí eu disse para ele: na hora de tirar, se for na frente faz shuooff. Se for atrás, faz ploc. Aí ele disse que sempre fazia ploc. E eu disse: é cu! E dos bons!

E gargalha de quase engasgar.

— Conhece a do papa que precisava trepar?

— Por favor, D. Sardinha. Vamos voltar ao Duarte da Costa.

— Sim, sim. O problema era que os portugueses abusavam das jovens nativas. Maltratavam e abusavam. Escravizavam, sabe? E um deles era o D. Álvaro, jovem filho do Duarte da Costa, um moleque completamente tarado. Um dia, num sermão, com a igreja lotada, contei o que o filho do homem andava fazendo e mais: que eu já havia escrito três cartas à corte e elas nunca chegaram ao destino. Juntei umas cem pessoas importantes em Salvador e partimos para Lisboa. A desgraça do navio naufragou.

— O navio naufragou mesmo ou foi sabotagem do governador?

— Jamais saberemos. Porque nunca mais voltei para Salvador. A maioria conseguiu nadar, e chegamos à praia onde nos esperavam os caetés, que eram canibais. E odiavam os portugueses. Danou-se, né? Era do interesse das autoridades que os índios me comessem. Seria o motivo para o massacre que a minha morte provocou.

Enche outra vez seu cachimbo de erva.

— As indiazinhas gostavam de sexo?

— Isso era o de menos. Os caetés já haviam sido expulsos de Olinda por eles. Nos odiavam. Sabe quantos índios caetés existiam no Nordeste?

— Não faço a menor ideia, Sardinha.

— Dizem 60 mil! Sessenta mil canibais! E a gente era noventa

Lézio Junior

presos depois do naufrágio. Era pouca carne branca pra muito índio, né? Isso me lembra da história do papa que ia morrer e só tinha um jeito de se salvar: se fizesse sexo.

— Por favor, Sardinha.

— É rápida. Uma transada bastava. Ele foi contra. O papa era importante para a Igreja, naquele momento. Depois de muita conversa ele concordou em fazer sexo, mas com algumas exigências: a mulher tinha que ser cega, para não ver com quem fazia sexo; tinha que ser surda e muda, para não ouvir nada caso ele falasse alguma palavra durante o ato; e que tivesse seios fartos e rijos. Os cardeais se reuniram. Voltaram a falar com ele. "Santidade, a gente entendeu o fato de ela ser cega, surda e muda. Mas por que os seios fartos e rijos?" E o papa respondeu na lata: "*Quia unus erit et quia placet*, uai."

— E o que quer dizer isso?

— Mais ou menos: "Porque vai ser uma só e eu gosto, uai."

Gargalha.

— Voltemos à aldeia dos caetés.

— O que importa é que, para justificar o que fizeram conosco, os portugueses aprontaram um verdadeiro genocídio. Durante cinco anos mataram todos, todos!, os caetés e quem mais tentou ajudar.

— Nunca soube disso.

— E tem uma novidade que ninguém sabe e vou te contar em primeira mão aqui: no período de engorda engravidei três indiazinhas. Que fique claro que fui procurado por elas. Não houve abuso, os pais consentiram. Eu dava bala de coco para elas e contava piadas para os pais. Dizem que um ex-governador baiano recente é descendente de uma delas. Não posso dizer o nome dele.

Ainda tem uma família poderosa e grande.

— Me fale o que o senhor se lembra do banquete.

— Posso dizer que não sofri. Durante o período de engorda, ajudamos na confecção de um grande forno coletivo, uma churrasqueira coberta, digamos assim. Muito bonita, a Arena Caetés. No dia marcado para a inauguração (oito operários índios haviam morrido durante a obra), eles davam uma cacetada, a gente desacordava, e eles enfiavam lá dentro. Não sei se alguém acordou quando estava sendo assado. Ninguém voltou para contar. O cheiro de churrasco era muito forte. E o escroto do Duarte da Costa acabou sendo nomeado presidente do Senado da câmara de Lisboa.

Ele tem certa dificuldade em acender o cachimbo. Venta muito no Nordeste.

— Me lembrei de uma piada de frade. Do frei Coutinho. Conhece?

— Não. A última, tá?

— Tá. Um dia uma senhora foi se confessar comigo em Salvador e estava arrependida porque tinha traído o marido. Eu disse que isso era normal ao sul do equador. Ela retrucou, apavorada, que tinha sido com um padre. Aí me interessei e quis saber quem era. E ela disse que foi o frei Coutinho. E eu exclamei: "Eu nem sabia que o frei Coutinho tinha largado a batina!" E ela: "Não largou, não!, segurou com os dentes!"

Gargalha. Eu rio.

— Segurou com os dentes, entendeu?

— Sim, entendi.

— Pois essas piadas todas foram para o fundo do mar com os originais de *Anedotarum et in parabolam, et in missa de Portugal-Brazilia*.

— Muito obrigado.

— Foi um prazer. Só mais uma coisinha.

— Outra piada, não!

— Não é piada, não. Me comeram em 1556. E sabe quem morreu no mesmo ano? O D. Álvaro da Costa, o filhinho de papai e playboy que barbarizava as índias.

— Morreu do quê?

— Isso eu não sei. Deve ter sido de sífilis mesmo. Porco daquele jeito! Aliás, por falar em porco, conhece a do porco na sacristia? Com o papagaio?

ARARIBOIA

E A PONTE NITERÓI-RIO

* ILHA DO GOVERNADOR, RJ, BRASIL, 1524 † NITERÓI, RJ, BRASIL, 1574 OU 1587 OU 1589

Se você atravessar de barca a baía de Guanabara, saindo do Rio de Janeiro, ao descer em Niterói dará de cara com uma estátua um pouco maior que "ao natural" de um índio forte, quase nu. Seu nome é Arariboia, que significa "Cobra Feroz".

De braços cruzados, de costas para a cidade, de frente para o mar, como a vigiar, como a esperar um novo ataque de franceses, como era meio normal no século XVI, quando ainda não havia cidade atrás dele. Mas, com certeza, havia tabas e ocas.

O homem era enorme, ao contrário da grande maioria dos índios que moravam aqui antes de os europeus chegarem: primeiro os portugueses, depois os franceses e ainda uns holandeses.

Arariboia era de uma tribo chamada temiminó, do grupo tupi. Viviam nas praias da Ilha do Governador vigiando para evitar ataque dos arqui-inimigos tamoios, que, dizem, chegavam a mais de 70 mil índios, espalhados ali pela baía de Guanabara e por Bertioga (sim, aqueles mesmos citados na entrevista com o santo padre Anchieta).

Lembra-se do Nicolas Durand de Villegaignon, que andou xeretando com o Içá-Mirim naquele famoso happening em Rouen, na França? Ficou pedindo informações ao nosso simplório índio sem saber (o Içá) que o escroto já tinha planos traçados. Pois não deu quatro anos ele já estava aqui. E o pior: aliado aos tamoios. Queria fundar uma mutreta chamada França Antártica. E escolheu um dos mais bonitos lugares do mundo: a baía de Guanabara. Os franceses sempre tiveram bom gosto e bom vinho. Vinho este que traziam aos barris para os caciques tamoios. "Afaste de mim este cálice de vinho tinto de sangue", cantaria um garoto ali mesmo, na baía de Guanabara, séculos depois, quando os inimigos da pátria eram outros.

Arariboia, que já temia os tamoios, liderados pelo terrível Cunhambebe, ficou ainda mais preocupado porque os franceses também estavam contra sua turma. A solução foi se aliar aos portugueses em troca da liberdade para sua tribo.

A seguir, Arariboia conta alguns episódios de sua vida e das batalhas épicas entre portugueses-temiminós e franceses-tamoios.

E como ele atravessou a nado toda a baía de Guanabara. Ele e mais 7 mil índios nadaram durante a noite de onde é hoje a cidade de Niterói até a praia do Flamengo. Ali foi a batalha final. E não tinha aterro. Eram o mar e o morro. Já estávamos em 1565, o que significa que os franceses ficaram aproximadamente uns dez anos no Brasil.

A entrevista foi num barzinho do outro lado da estação praça Arariboia, chamado Chopão do Pires, na avenida Visconde do Rio Branco, 2.215, caso esteja duvidando. E eu, que nem sabia que o Barão tinha sido Visconde? Ou seriam rios diferentes?

Depois de discutirmos um pouco o intrigante assunto do parágrafo anterior e não termos chegado a nenhum acordo, ele, Arariboia, apontando o dedo para a própria estátua que estava de costas para nós, pergunta:

— Tu não achas que eu estou muito bundudo naquela estátua?

— Com toda a sinceridade, acho. Já havia notado.

— Que coisa desagradável. Vamos à entrevista. O que o amigo quer saber? Encontrando o padre Anchieta de novo, dê-lhe um grande abraço. Estava aqui conosco, com os temiminós e os tupis. Depois da guerra foi meu professor de latim, acredita? Diga lá. O Mem de Sá também era gente muito boa. Era o governador-geral do Brasil.

— O Cunhambebe não tinha feito um acordo com o Anchieta em Iperoig? Não estava tudo em paz?

— Não se pode confiar em tamoios. O Cunhambebe sempre odiou os portugueses. O Cunhambebe Filho era mais pela paz. Mas era o pai quem mandava. O velho índio colocou 70 mil homens para defender as cores francesas. Setenta mil. Eu tinha no máximo 8 mil.

— E ganharam.

— Foram vários anos, várias batalhas, finalmente nós os encurralamos na praia do Flamengo.

— "Encurralamos" como? De um lado tem o mar, do outro o morro.

— Pois. Os portugueses vieram pelo morro. O Mem de Sá havia chamado um sobrinho dele, o Estácio igualmente de Sá, que trouxe uma turma boa que já havia praticado guerrilhas de matas numa das guerras contra os espanhóis. Tu sabes que eles nunca se deram bem, né? Os portugueses e os espanhóis. Aliás, tu sabias que o Mem de Sá era irmão do grande poeta lusitano Sá de Miranda?

— Não acredito!

— Pois se informe melhor. Conhece o poeta?

— Claro, foi ele quem introduziu o soneto na língua portuguesa.

— Pois o Mem de Sá estava aqui no Brasil quando o poeta morreu, em 1558. Estávamos em plena guerra contra os franceses.

— Ok, voltemos ao "encurralamos".

— Pois, o Estácio atacou pela praia vindo lá do lado de Botafogo. Eu e meus índios nadamos daqui, onde estamos, em Niterói, até a praia do Flamengo e pegamos os franceses pelas costas. Eles tentaram subir o morro, era gente pra caceta. Cheguei lá em cima com uma tocha e ateei fogo no paiol deles. Foi a maior explosão que já aconteceu no Brasil até hoje. Ainda deve ter francês voando por aí. Essa minha travessia ficou conhecida como ponte Niterói-Rio.

— E como foi que tu arrumaste uma tocha, e fósforo, se estavas saindo do mar, todo molhado?

Ele dá uma porrada na mesa, os copos de chopes caem, o garçom olha feio para mim e vem até a mesa.

— Algum problema, seu Arariboia?

— Tudo bem, tudo bem. O branquelo aqui acha que índio acende tocha com fósforo. É foda, Pires! Traga mais dois chopes por conta dele. E aquele artigo escrito pelo padre francês André Thévet. Em 1575! Tá ouvindo, branco? Escrito em 1575! Pires, e mais tira-gosto.

— Desculpa.

— Sou modesto. Tu vais ouvir o que um padre francês escreveu sobre a porra da tocha.

Chega Pires com uma folha.

— Leia aí, Pires.

Pires se sente importante.

— Este texto está reproduzido no site do senhor Clério José Borges: "Os franceses estavam certos de sua superioridade, em razão de um paiol, depósito, que possuíam.

"O paiol, depósito de armas, munições e pólvora, estava no alto de um penhasco e os franceses, seguros de si, só vigiavam a entrada principal, único acesso disponível. O penhasco, um alto morro de pedra maciça, não possuía uma entrada fácil. Um ser humano normal teria grandes dificuldades para escalá-lo."

Arariboia me cutuca com o cotovelo, como quem diz: vai ouvindo...

— "Arariboia, distanciando-se dos demais companheiros, aceita o desafio. Com uma coragem fora do normal se coloca diante do enorme penhasco, escala-o do lado não visto do inimigo com uma tocha acesa, presa nos dentes. Atingindo o alto, arremessa a tocha contra o depósito, que logo explode deixando os franceses em pavor tão grande que fogem, conseguindo os portugueses e aliados uma grande vitória, que foi altamente comemorada."

— Obrigado, Pires.

— Dá um tapa nas minhas costas.

— Tomou? — Sorriu — Só pra terminar, o Estácio de Sá levou uma flechada e veio a morrer ao dar entrada no Hospital Souza Aguiar. Um grande homem. Com isso, os franceses se retiraram de uma vez do Brasil.

— Ele já havia fundado a cidade do Rio de Janeiro?

— Claro que foi antes de morrer, né, paspalho? Em 1565, após algumas batalhas ali pela Ilha do Governador, ele desembarca lá na praia, entre o Pão de Açúcar e o morro Cara de Cão, e constrói a Fortaleza de São João, fundando a cidade de São Sebastião do Rio de Janeiro.

— Dizem que depois da expulsão dos franceses, você teve uma porção de regalias.

— Eu diria que foram pagamentos pelos meus serviços. A guerra demorou uns dez anos, cara-pálida.

Ele olha novamente para a própria estátua e chama o garçom.

— Pires, tu não achas que eu estou meio bundudo naquela estátua?

— Não que eu queira dizer, mas acho.

O Pires se retira.

— Vou falar com o governador.

— Não mude de assunto. As regalias, ou pagamentos.

— Sim. Em primeiro lugar, recebi da Coroa Portuguesa um terreno lá onde é hoje São Cristóvão, perto da Ilha do Governador. Depois, recebi outro, que é exatamente aqui onde estamos, para eu vigiar este lado da baía de Guanabara. Começou como uma sesmaria chamada São Lourenço dos Índios e mudou de nome para Niterói, que na minha língua significa "Água Escondida".

— Foi quando se converteu ao catolicismo e passou a usar o mesmo nome do navegador português Martim Afonso de Sousa.

— Isso, gostava do nome dele. Todo mundo continuou a me chamar de Arariboia.

— Você recebeu mais uns agrados.

— Sim, recebi o título de capitão-mor, recebi o hábito da

Ordem de Cristo e a tença de 12 mil-réis anuais.

— Essa pensão anual de 12 mil-réis é mais ou menos quanto hoje?

— Quer saber em real, dólar ou euro?

— De qualquer jeito.

— Pra falar a verdade, não tenho a menor ideia.

E dá uma gargalhada. O chope estava subindo no bundudo.

— Vivi bem o resto da vida com minha mulher e meus filhos. Morri cedo, com 50 anos. A família continuou recebendo pensão. Vai mais um chopinho? Tem uma mandioquinha aqui do capeta.

— Manda.

Ele chama o Pires e providencia tudo. E fala para si mesmo, baixinho: "Não posso me esquecer de falar com o governador sobre a bunda."

Mas eu ouço.

— E como foi a história com o novo governador-geral, o tal de Antônio Salema?

— Porra, cara, na cerimônia de posse do homem, eu me sentei à moda indígena, no chão com as pernas cruzadas. O cara ficou puto e pediu que eu me comportasse. Eu me levantei devagar e disse: "Minhas pernas estão cansadas de tanto lutar pelo teu Rei, por isto eu as cruzo ao sentar-me, se assim te incomodo, não mais virei aqui."

— E nunca mais voltou ao Palácio?

— Nem ao Palácio nem ao Rio de Janeiro. Apesar de torcer pelo São Cristóvão até hoje.

— Morreu aos 50 anos, em 1574, de quê?

— Sei que não vai acreditar. Morri afogado!

Não acreditei. E fui pesquisar. Algumas fontes dizem mesmo que ele morreu afogado em 1574. Outras, que ele teria morrido em 1587 ou 1589 de varíola.

Jamais saberemos.

Tanto a estátua quanto ele são bundudos. Sabe o Hulk, da seleção? Igual.

CALABAR:

TRAIDOR DOS ÍNDIOS, DOS PORTUGUESES, DOS HOLANDESES, DOS NEGROS? OU DO BRASIL?

* PORTO CALVO, AL, BRASIL, 22 DE ABRIL DE 1600 † PORTO CALVO, AL, BRASIL, 11 DE JULHO DE 1635

No dia 22 de outubro de 1973, um parecer (que não parecia com coisa alguma) proibiu a estreia da peça *Calabar*, escrita e musicada por Ruy Guerra e Chico Buarque. As únicas pessoas que assistiram ao espetáculo foram três funcionários do Centro de Informação do Exército (CIE) que se autodenominavam Censores.

O que viram foi um espetáculo pronto, envolvendo oitenta pessoas e que custou, na época, 30 mil dólares dos bolsos dos produtores, Fernanda Montenegro e seu marido Fernando Torres. A direção era de Fernando Peixoto, direção musical de Dori Caymmi, orquestração de Edu Lobo, coreografia de Zdenek Hampl, cenários de Hélio Eichbauer, iluminação de Antonio Pedro. No elenco Tetê Medina, Betty Faria, Hélio Ary, Antonio Ganzarolli, Flávio São Tiago, Perfeito Fortuna, Odilon Wagner, Imara Reis. Enfim, coisa de gente grande.

A peça era sobre a traição, sobre tortura, mentiras e outras delongas que o Brasil vivia nos anos 1970. O escândalo da proibição — um dia antes da estreia — repercutiu por todo o Brasil no boca a boca. Jornais, rádios e televisões não podiam nem mencionar a palavra "Calabar".

Dois meses depois, uma forte gripe disseminou-se pelo Nordeste, e, como era forte e traiçoeira, o povo começou a chamá-la de Gripe Calabar. Eu era editor do jornal *Última Hora*, em São Paulo, e recebi um telex (vide dicionário) da Censura Federal proibindo qualquer menção à gripe que estava matando nordestinos. Provavelmente, pelo fato de nenhum meio da mídia poder falar aquela palavra proibida, a coisa pode ter piorado, e mais gente morrido. Mas isso é outra história. Uns dez anos depois a peça finalmente foi montada.

E Calabar, pelo que se viu, não traiu os brasileiros. Ele achou que a colonização holandesa seria melhor que a portuguesa. E, na guerra que se travava para expulsar os holandeses do Brasil, o major Domingos Fernandes Calabar, aos 32 anos, passou para o lado daqueles homens loiros. Antes mesmo da chegada do alemão chamado Johan Maurits van Nassau-Siegen (1604-1679), ou, simplesmente, Maurício de Nassau, que viria a ser gestor do Brasil Holandês.

A coisa estava feia logo abaixo da linha do equador, entre Alagoas e Pernambuco. Até hoje encontramos nordestinos com olhos verdes ou azuis. Os poucos que não voltaram para a Holanda ficaram por aqui cantando "Cala a boca, Bárbara!" [Letra e música de Chico Buarque e Ruy Guerra, para a peça teatral *Calabar, O elogio da traição*], ou procurando a "Ana de Amsterdam". Cito meu amigo pernambucano, o cenógrafo e diretor José de Anchieta, com os olhos escandalosamente verdes. Foi ele quem me localizou Calabar para esta entrevista.

Enfim, como todos os outros estrangeiros que por aqui passaram, deixaram suas bem-vindas sementinhas. Mas Calabar acha que poderiam ter deixado mais, muito mais.

De família humilde, filho de um português com uma índia, aos 30 anos, ao ver Pernambuco ser invadido pelos holandeses, saiu de Porto Calvo, nas Alagoas, e foi se alistar no Exército para defender a pátria brasileira. Era o major Domingos Calabar.

— Qual era a população de Porto Calvo naquela época?

— Hoje é de uns 30 mil. Era uma cidade pequena, pouca gente. Mas, na época, Alagoas e Pernambuco eram uma coisa só... Uma capitania só. "Porto Calvo foi um dos primeiros locais a ser habitado pelos portugueses. A cruzada organizada por Cristóvão Lins percorreu parte do litoral, expulsando os índios e se apossando de suas terras. Cristóvão Lins recebeu o título de alcaide-mor de Porto Calvo em 1600" (Wikipédia). No ano em que eu nasci. Minha mãe era índia. Mas, como era casada com português, não foi expulsa. Além do que, era alfabetizada. Isso, na época, era importante.

— Ainda hoje. E o que aconteceu para você, dois anos depois de servir aos portugueses, passar para o lado holandês, ser considerado traidor pelos portugueses e, poucos anos depois, acabasse enforcado? Dinheiro?

— Jamais! Disso ninguém nunca me acusou. Eu era brasileiro. Puro. Filho de um português com uma índia. Não traí o Brasil. Se traí alguém, foram os portugueses e os espanhóis. O Brasil tinha acabado de comemorar o primeiro centenário. Aliás, eu nasci no dia 22 de abril de 1600. No dia da grande festa lá em Porto Calvo.

— Verdade? Não vi isso em lugar nenhum.

— Pois é. Em todos os livros dizem apenas que eu nasci em 1600. Mas eu sei, porra! Quem nasceu fui eu. Foi no dia 22 de abril. E não se fala mais nisso. — Dá um risinho sacana, eu retribuo. — Mas eu dizia que o Brasil estava comemorando cem anos de colonização portuguesa, e isso aqui estava uma zona. Educação, cultura, agricultura, tudo. Pobreza geral. Mendigos morrendo nas vielas. Havia uma pequena monocultura de cana-de-açúcar no Nordeste, que era a região mais rica do país. E mais nada. Todas as terras abandonadas, movimento dos sem-terra, movimento dos sem-teto, uma baderna.

— Sinto dizer que ainda estamos assim.

— Você é quem pensa! Os jesuítas, por exemplo, só queriam alfabetizar os índios. Nunca entendi isso. Minha mãe, por exemplo, que era índia, sabia ler e escrever. Meu pai, português de nascença, era analfabeto. O Brasil era analfabeto. E não vou nem dizer que a mão de obra era barata, de graça. Aí os franceses e depois os holandeses resolveram trazer suas fábricas, usinas, comércio para cá. Primeiro, porque a mão de obra era toda escrava. No século XVI já tinha 30 mil africanos no Brasil. Já existia até o quilombo de Palmares. Não estava ainda no auge, mas existia. E, segundo, porque ninguém pagava imposto de renda.

— Continua assim.

— Era muito pior. Hoje, pelo menos os pobres pagam.

— Mas espera um pouco: pelo que você está falando, a zorra era total, mas poderia piorar.

— Naquele momento da história, não eram os portugueses que mandavam. Era a Espanha. Portugal estava dominado pela Espanha. E por que cargas-d'água eu defenderia a bandeira da Espanha?

— Aí desertou!

— Não, senhor. Mandei uma carta (eu sei ler e escrever, meu caro) ao Matias de Albuquerque, que era o chefão-geral portu-

guês, afirmando que havia passado para o outro lado não como traidor, mas como patriota, percebendo que a colonização holandesa daria liberdade aos brasileiros, enquanto os espanhóis e lusitanos tinham interesse em escravizar o Brasil.

— E ele recebeu a carta?

— E ficou muito do puto, com medo de que mais pessoas pensassem igual a mim. Principalmente os filhos de portugueses já nascidos aqui, como eu. Assim que acabou de ler a carta, mandou me caçar e me enforcar. Mas ainda lutei três anos ao lado dos holandeses.

— E qual era o seu acordo com os holandeses?

— Exigi informações as mais detalhadas possíveis sobre o tratamento que seria dado aos brasileiros em caso de uma vitória holandesa. E tem mais, meu amigo: com os holandeses estavam chegando as holandesas, aquelas loiraças de um metro e oitenta, ao contrário das portuguesas baixas e bigodudas. Logo me apaixonei por uma, a Ana de Amsterdam, de quem você já deve ter ouvido falar em prosa e verso.

— E tinha a Bárbara também.

— Não posso reclamar. Tinha 30 e poucos anos e estava bem-servido.

— O que os holandeses ofereciam para o Brasil? Eu soube que, antes dessa mutreta entre portugueses-espanhóis e holandeses, você saiu da República das Alagoas e foi para Olinda. Lá, estudou com os jesuítas e fez muito dinheiro com contrabando, chegando a se tornar senhor de terras e engenhos.

— Quem foi o filho da puta que te disse tamanha inverdade?

— Está nos compêndios.

— Ora, os compêndios da época foram todos escritos por

portugueses. Que ingenuidade a tua. Eu era um duro. Vivia do soldo do Exército.

— E os holandeses pagavam um soldo melhor? Pagavam em florins, e não em escudos ou pesetas?

Ele fica indignado.

— Acabou a entrevista.

— Está bem. Vamos falar do Seedorf.

— Sei lá quem é esse cara. Se você quer mesmo saber, os holandeses estavam prometendo até acabar com a gonorreia, segundo o Ruy Guerra e o Chico Buarque. Claro que era uma brincadeira deles.

— E o Maurício de Nassau?

— Pois é, se eu tivesse conhecido esse cara, não teria lutado contra os portugueses. Ele veio uns dois anos depois da minha morte, justamente para retomar Porto Calvo, que continuava nas mãos dos portugueses. Nassau foi o maior ego que já passou pelo Brasil. E era safado. Com poucos anos no Brasil, foi chamado para levar um puxão de orelha. Estava uma corrupção danada por aqui. Mas eu te aconselho a entrevistá-lo. O cara trouxe dezoito criados, além de médico próprio, Guilherme van Milaenem. Ganhava uma fortuna, além de porcentagens que os holandeses faturavam aqui com a cana. Trouxe artistas, músicos. Acho que até putas holandesas.

— Era militar?

— Conde. Começou a fazer uma reforma em Recife para mudar o nome da cidade para Maurícia.

Abro meu iPad.

— Vamos direto à internet: "Decidido a transformar o Recife em uma moderna capital, determinou o projeto da cidade Maurícia, responsável pelos atuais traçados urbanísticos dos bairros de Santo Antônio e São José, onde drenou terrenos, construiu canais, diques, pontes, palácios (Palácio de Friburgo e Palácio da Boa Vista), jardins (botânico e zoológico), um museu natural e um observatório astronômico. Organizou serviços públicos essenciais, como o de bombeiros e de coleta de lixo."

— Sim, e enquanto eles estiveram no Recife, a cidade se chamava Maurícia. Enfim, tinha tudo pra dar certo, mas o Príncipe de Nassau abusou. André Vidal de Negreiros acabou com ele. Veja de novo aí na maquininha.

— "Em 30 de setembro de 1643 Nassau recebeu a carta de dispensa dos Estados Gerais (da Holanda), com a promessa de o designar para importantes funções na Europa. Partiu numa esquadra de treze naus que transportavam carga avaliada em 2,6 milhões de florins. A sua bagagem pessoal ocupava duas naus: nela seguiam as suas coleções, barris de conchas e seixos, botijas de farinha de mandioca, dentes de elefante, toras de jacarandá, pranchas de pau-santo, de pau-violeta, trinta cavalos pernambucanos, cem barriletes de frutas confeitadas, inclusive abacaxi. Fez 40 anos a bordo e, em julho de 1644, desembarcou no porto de Texel."

— Isso foi nove anos depois do meu esquartejamento em Porto Calvo. E o Brasil continuou dos portugueses. Durante quase dois séculos, até aparecer o D. Pedro I. E agora parece que o país está emergente, né?

— Faz tempo que está emergente, Calabar. Faz tempo.

— Eu falei das loiras altas, mas, cá entre nós, nada como as morenas brasileiras. As loiras da Europa não têm o menor jogo de cintura. Sem falar nas calcinhas imensas, cinza, broxantes.

Não tem o requebro da minha Bárbara.

E ele canta, baixinho, saudoso. Enquanto seus olhos se enchem de lágrimas:

Ele sabe dos caminhos dessa minha terra
No meu corpo se escondeu, minhas matas percorreu
Os meus rios, os meus braços
Ele é o meu guerreiro nos colchões de terra
Nas bandeiras, bons lençóis
Nas trincheiras, quantos ais, ai

Cala a boca — olha o fogo!
Cala a boca — olha a relva!
Cala a boca, Bárbara
Cala a boca, Bárbara
Cala a boca, Bárbara
Cala a boca, Bárbara

Ele sabe dos segredos que ninguém ensina
Onde guardo o meu prazer, em que pântanos beber
As vazantes, as correntes
Nos colchões de ferro ele é o meu parceiro
Nas campanhas, nos currais
Nas entranhas, quantos ais, ai

Cala a boca — olha a noite!
Cala a boca — olha o frio!
Cala a boca, Bárbara
Cala a boca, Bárbara

Cala a boca, Bárbara
Cala a boca, Bárbara
Cala a boca, Bárbara
Cala a boca, Bárbara
Cala a boca, Bárbara

CHICO REI
NO CONGO E NO BRASIL

* CONGO, ÁFRICA, 1714 † VILA RICA, MG, BRASIL, 1786

Chico Rei, assim como dona Beja e Xica da Silva, realmente existiu. Com o tempo, escritores e romancistas melhoraram (ou deturparam) suas histórias. Inclusive já existem filmes, novelas e séries de televisão, todos bastante romanceados. No caso de Chico Rei, negro trazido ao Brasil num navio negreiro inglês (chamado *Madeleine*), vendido no Rio de Janeiro como escravo e levado para Vila Rica, o que há de verdade? Diz a lenda que conseguiu sua carta de alforria, depois libertou vários de seus parentes (de sua nação, o Congo) e até construiu uma igreja católica em Vila Rica, a qual existe até hoje.

Turismo religioso: "Igreja de Santa Efigênia e Nossa Senhora do Rosário dos Pretos. Igreja construída por Chico Rei para os escravos de sua tribo africana. Possui o relógio mais antigo da cidade (1762), originalmente construído com apenas um ponteiro. Visitação: terça a domingo: 8h30 às 16h30. Vale a pena." Amém.

Continuemos: e foi nesta ainda magnífica igreja que conversamos.

— Chico, o que há de verdadeiro nas histórias que contam de você?

— Eu diria que metade é inventada. Fala-se até em orgias na minha casa.

— Depois falamos disso. Vamos começar na África. Você era mesmo rei do Congo?

— Estás a ver? Já é um exagero. Eu era rei de uma nação, tinha 26 anos. Era como se fosse um estado dentro do Congo.

— E você era uma espécie de rei do pedaço.

— Exato. Tinha 26 anos, meu nome era Galanga, era casado com a minha prima Djalô e tinha dois filhos (príncipes, né?), Muzinga, com 10 anos, e uma menina, Itulu, que significa flor.

— Você foi pai com 16?

— E Djalô foi mãe com 14. Eu diria que a gente não tinha muito o que fazer.

Ele faz a piadinha infame, se lembra da mulher e da filha. Enxuga algumas lágrimas. Fico na minha.

— Aí apareceram os brancos armados. A gente sabia que já haviam levado negros do Congo, de outra nação, para um navio. Coisa boa não podia ser. Eu e minha família e todos os meus auxiliares (191 pessoas, pra ser exato) fomos aprisionados e, amarrados com ferros, levados andando até um navio. E era longe.

— Não houve resistência?

— Fomos surpreendidos de noite. Não éramos guerreiros, não tínhamos inimigos. Claro que houve brigas e gente morta. Não sei quantos. Aí já começou a sacanagem antes mesmo do embarque. Na praia tinha um homem de saia preta, que depois eu soube que era um padre.

— Português?

— Com certeza. Olha a loucura. O Vaticano (tudo isso eu fiquei sabendo anos depois, é claro) havia proibido o tráfico de escravos. O navio que nos traria era inglês. E a Inglaterra devia muito dinheiro ao Vaticano. Então, fizeram um acordo. Todo navio negreiro tinha que ter um padre para batizar o criouléu. Assim, em caso de morte na travessia, e morria mais da metade, o negro não morria ateu. E a Igreja ficava com a barra limpa.

— Resumindo: trocaram negros mortos por dívida viva. Então te batizaram de Francisco?

— Eu e todos os outros. Era uma coisa só. O padre jogava uma aguinha na gente e dizia "Eu te batizo Francisco". E as mulheres Maria. Noutro navio podiam ser todos Manuel e as mulheres Ana. Neste navio tinha gente de outras localidades. Tudo Francisco. Quando o navio partiu, levava 371 negros e negras, segundo ouvi dizer durante a travessia que nunca acabava...

— Quantos chegaram aqui?

— Cento e quinze. Numa tempestade, o comandante mandou atirar muita gente no mar. Só quando chegamos foi que ficamos sabendo que a minha mulher e minha filha morreram assim. Jogavam primeiro as mulheres porque valiam menos no mercado do Rio de Janeiro. Desembarcamos na chamada praia do Valongo, já dentro da baía de Guanabara. Hoje tem um observatório por ali. Acho que agora o lugar se chama bairro da Saúde.

— E foram vendidos? Tinha um mercado? Como era?

— O negócio era muito bem organizado. Primeiro davam banho na gente. Depois passavam óleo de carrapateiro para disfarçar as feridas e dar um brilho na pele castigada pela viagem e pelo sol. E nos colocavam uma espécie de bermuda. A gente entrava em campo bonito mesmo. Por sorte, eu, meu filho Muzinga e mais 28 da minha nação fomos comprados pelo mesmo português de Vila Rica. Major Augusto de Andrade Góes, dono da mina Encardideira. Mal sabíamos ele e eu que, alguns anos depois, eu compraria a mina dele. Naquele dia, eu e Muzinga choramos a noite toda a morte das meninas. Minha mulher com 24 anos e a menina com 6. O padre me reconfortou, rezou, jogou água-benta, o escambau, e eu mandei ele tomar no cu.

— Em que língua?

— Na minha! Ele deve ter entendido. Fez até o sinal da cruz.

— Não acredito!

— Vamos pôr ordem na conversa. Tenho mais o que fazer e muito pra contar. A viagem até Vila Rica durou sete semanas. Foi uma luta, amigo! A pé, pensando na mulher e na filha. E isso depois de atravessar aquele marzão todo.

— Imagino.

— Não, não dá pra imaginar. Vamos dar um salto no tempo. Só um parêntese. Antes de tu chegares, eu estava vendo televisão ali na sacristia e o Real Madrid ganhou do Schalke 04, da Alemanha, lá na Alemanha, de 6 a 1. O Schalke era o time de Hitler. Durante os anos da Segunda Guerra, foi campeão todos os anos.

— E...?

— E é que os campos de concentração não eram muito diferentes das senzalas. Só isso. Voltemos ao século XXI, companheiro. Ou ao XVIII?

— Ao XVIII.

— Mas não precisamos falar em pelourinho, né?

— Não, todo mundo sabe o que é.

— Odeio ficar remoendo essas dores.

— Mesmo porque andam amarrando pessoas em postes novamente. Deu na *Veja*.

— Nem me fale.

— Aí você chegou na mina Encardideira, do Major Góes, em Vila Rica.

— Sim, e encontramos outros amigos do Congo que haviam sido trazidos anos antes. Foi quase uma festa, começaram a me chamar de Galanga, ou Chico Rei, em português. O feitor, o filho da puta do Eleutério, foi fazer fofoca com o major Góes, que mandou me chamar junto com um tradutor. Quando cheguei, perguntei se o major falava francês. Ele ficou abismado. Mal sabia ele que tinha muita gente na senzala dele que falava, ou pelo menos arranhava, o francês. Na minha época os franceses já estavam rodeando ali pela África. Acho que se preparando para, no século seguinte, dividir tudo com ingleses e belgas. Então, eu sabia um pouquinho de francês. Falamos em francês, o Eleutério ficou mais irritado ainda, porque não entendia nada da língua que estávamos a falar. Enfim, ganhei a confiança do homem. Com isso, eu e meus companheiros poderíamos trabalhar no domingo, ganhando salário em ouro.

— Um bom salário?

— Salário mínimo, é claro. Mas já era uma vitória. A ideia sempre foi juntar o ouro de todos para comprar uma alforria. A gente roubava também. As mulheres enfiavam ouro no meio daqueles cabelos afro e depois iam se lavar na pia de água benta de uma igreja onde o sacristão era um negrinho que filtrava o material lá no porão.

— Depois de quantos anos você conseguiu a alforria?

— Uns dez. Eu havia percebido que nunca mais voltaria para a África. Tirei isso da cabeça. Então, tinha que viver como os mineiros, como os brasileiros. A primeira providência foi virar cristão. Por minha conta e vontade. Fiquei amigo do padre

Figueiredo, que me arrumou 160 mil-réis, e, juntando com o ouro que a gente havia guardado, o major vendeu a minha carta de alforria. Aí comecei a trabalhar assalariado, até alforriar o meu filho, depois mais um e mais um e mais um. De repente nós éramos muitos. Me coroaram rei, acredita? Fizeram até um trono. Mais por farra. Quase carnaval.

— Como era a música?

— Tinha de tudo. Muitos instrumentos: tambor, atabaque, ganzá, cuíca. Na verdade era uma banda. Já era quase um samba. Tinha regente e tudo. Eu sei que, contado assim, parece que a nossa vida era um mar de rosas. Isso tudo era no domingo. Durante a semana era trabalho duro de sol a sol. Era chibatada, fugas, tiros, mortes. Enfim... cem anos depois, Castro Alves contaria tudo isso muito bem. Tinha a festa de *Corpus Christi*, tinha reisado, o *Te Deum* no último dia do ano.

— E ia à missa?

— Eu gostava da missa. Para mim aquilo era um espetáculo parecido com alguns que a gente fazia na África. Até incenso tinha. E era em latim, uma língua bonita. E tinha a congada, uma festa maravilhosa, que veio direto do Congo. Congo, congada.

— E a história do governador?

— Quando eu já tinha alforriado 199, o governador ficou sabendo do negócio de rei etc. Mandou me chamar. A gente já tinha uma irmandade católica, chamada Irmandade de Nossa Senhora do Rosário dos Pretos de Antônio Dias. E estávamos a fim de construir uma igreja só para os negros. Eu já tinha comprado a Encardideira, já era quase do Rotary [rimos muito]. Aproveitei e pedi uma verba para a construção da nossa igreja. Uma espécie de Lei Rouanet, entende?

— E o boato das orgias na sua casa?

— Um dia eu recebi a visita de um escroto, o Ubaldino, que emprestava dinheiro e vivia de rendas. Era cafetão e explorava as escravas na rua do Mata-Cavalos, "vestindo-as e enfeitando-as para viverem de amores; de manhã ia arrecadar o ganho da noite", como diria Agripa Vasconcelos. Logo depois que fui coroado, ele me ofereceu um palacete na rua Direita para morar, com "nove escravas novas, limpas e bonitonas para todo o serviço". E fiquei tão fora de mim que gritei na minha língua: "*Cutumba bucanca imbua ia riiala.*"

— Que significa?

— "Saia daqui, seu cachorro de merda!" Aí ele soltou os boatos sobre bacanais noturnos na minha casa, muita cachaça e negrinhas, vícios sexuais. Um babaca! Resolvi casar de novo. Estava com 39 anos, 13 de Brasil. Casei com a Antônia, filha do sacristão Canuto, da capela de Santa Efigênia de Alto da Cruz, meu velho amigo. Com 52, já grisalho, peguei maleita. Muzinga ficou cuidando da mina, e eu fui definhando, definhando, chorando com saudades da minha África. Antônia me fazendo cafuné, catando uns piolhos. Às vezes ainda encontrava um pouquinho de ouro no couro cabeludo. Couro e ouro é rima rica.

— Você morreu em 1786. Conviveu com os inconfidentes?

— Aquilo era um problema de ricos, uma briga de brancos nascidos aqui e outros nascidos em Portugal. Nunca me chamaram e nunca quis saber. Meu povo não tinha nada com aquilo. Nossa luta era outra.

ALEIJA DINHO

* VILA RICA, MG, BRASIL, 29 DE AGOSTO 1730 † VILA RICA, MG, BRASIL, 18 DE NOVEMBRO DE 1814

Pouco se sabe da vida de Antônio Francisco Lisboa, o Aleijadinho. Considerado nosso maior artista plástico, trabalhando com o rococó e o barroco, esse mineiro deixou uma vasta obra entre talhas, projetos arquitetônicos, relevos e muitas estátuas. A maioria de seus trabalhos pode ser vista em frente às igrejas de Ouro Preto, Sabará, São João del-Rei e Congonhas. E dentro.

Era filho de um dos mais respeitados arquitetos e mestres de obras da época, o português Manuel Francisco Lisboa. Que transou com uma de suas escravas africanas, a Isabel. E nasceu ele, Antônio.

A confusão em sua vida já começou com a data de seu nascimento. Uns dizem 1730, outros 1738. Uma coisa é certa: a segunda data coincide com o casamento de seu pai com uma açoriana, dona Maria Antônia, com quem teria quatro filhos. Foi com esta família que ele cresceu.

Com o pai, aprendeu desenho, arquitetura e escultura. Dizem que, dos 12 aos 21 anos, frequentou o Seminário dos Franciscanos Donatos do Hospício da Terra Santa, embora não tivesse loucura alguma. Foi lá que aprendeu religião, latim, gramática e matemática. Para a época, beirava quase um intelectual.

Em 1767, seu pai morreu, e, como filho bastardo, não teve direito a nada da herança. Tinha 29 anos e boa saúde. Abriu uma pequena oficina.

Mulato, mais para o negro que para o branco, teve apenas um filho, com uma escrava chamada Narcisa. Deu ao garoto o nome do pai, Manuel Francisco Lisboa. E o rapaz tinha uma boa queda para o artesanato. Até que a escrava sumiu, levando o filho. Nunca mais se viram.

Em 1777, com quase 40 anos, começam a aparecer os primeiros sinais da estranha e degenerativa doença — até hoje não identificada — que deformou seu corpo durante o resto de sua vida. Doía muito. Sempre. Noite e dia. Ganhou o apelido de Aleijadinho, o que doía ainda mais. E foi assim, já aleijado, que construiu quase toda a sua obra. Morreu aos 76 anos, em 1814, completamente deformado.

Seu corpo e seu rosto se transformaram tanto que um escravo tentou o suicídio ao saber que havia sido comprado por ele. O escravo não morreu e se tornou seu auxiliar e amigo até a morte do Mestre.

O aspecto físico do gênio do barroco o incomodava tanto que ele só vestia roupas largas e grandes chapéus para cobrir o rosto. Pouco saía, e preferia trabalhar no ateliê durante a noite.

Passou as últimas duas décadas morando sozinho com seus três escravos: Maurício, seu ajudante principal, com quem divi-

LÉRIO JUNIOR.

dia os ganhos; Agostinho, seu auxiliar nos entalhes; e Januário, o do suicídio, que puxava o burro em que ele andava pelas ruas de Vila Rica, hoje Ouro Preto. De noite. Os três escravos aprenderam a ler e a escrever com ele.

A primeira pessoa a escrever sobre ele foi José Ferreira Bretas, 44 anos após sua morte:

"Era pardo-escuro, tinha voz forte, a fala arrebatada e o gênio agastado: a estatura era baixa, o corpo cheio e mal configurado, o rosto e a cabeça redondos, a testa volumosa, o cabelo preto e anelado, o da barba cerrado e basto, a testa larga, o nariz regular e algum ponto pontiagudo, os beiços grossos, as orelhas grandes e o pescoço curto."

Segundo alguns, tinha um humor irônico e corrosivo.

No avião, indo de Florianópolis para Belo Horizonte, onde pegaria um táxi até Ouro Preto, várias vezes pensei em desistir da entrevista. Cheguei a ligar para meu filho — Antonio, também escritor — e dizer da enrascada em que estava me metendo. Seria uma entrevista muito triste. Não sei se caberia aqui neste livro, onde costumo cutucar os absurdos de nossos heróis. E rimos juntos. Eu e eles.

Cheguei à porta do local da entrevista. E desisti. Passava um pequeno escravo por ali, e pedi que ele entregasse ao Aleijadinho alguns livros do século XXI mostrando a obra dele. Livros de arte que eu havia levado.

— Da parte de quem, senhor?

— Ele não me conhece.

E dei uma moeda de mil-réis pra o garoto, que deu um sorriso de dentes branquíssimos.

E fico devendo a entrevista ao leitor.

XICA DÁ, XICA DÁ, XICA DÁ, XICA DÁ SILVA*

* Thanks, Jorge Ben.

* SERRO, MG, BRASIL, 1732 † DIAMANTINA, MG, BRASIL, 15 DE FEVEREIRO DE 1796

Francisca da Silva e Oliveira, com este nome brasileiríssimo — que passou para a história e para o cinema como *Xica da Silva* (direção de Cacá Diegues, 1976, com Zezé Motta, Walmor Chagas e José Wilker) —, nasceu no Serro e cresceu junto ao povoado de Arraial do Tijuco. Hoje o pequeno vilarejo se chama Diamantina. Se o nome vem de diamante, foi o diamante que ali era extraído que fez a história da cidade e da Xica.

Era uma escrava mulata, filha de um relacionamento extraconjugal (é claro) de um português com uma escrava, como era comum na época. Xica gostava de diamantes e de sexo. Mas não era uma moça promíscua. Começou como escrava de um sargento-mor, com quem teve um filho aos 19 anos. O menino, que já nasceu alforriado, foi mandado para estudar na Europa e ocupou bons cargos na corte, em Lisboa.

Depois, o sargento vendeu Xica para um padre. O padre Rolim, que, anos mais tarde, seria um dos inconfidentes. Aliás, muitos anos depois, o dito padre passaria a viver com uma das filhas de Xica da Silva, Quitéria Rita.

Quitéria Rita era filha da Xica com João Fernandes de Oliveira (Walmor Chagas), português contratador de diamantes. Pois ele comprou a Xica, que foi alforriada em 1754, com 22 anos. Tiveram 13 filhos em 16 anos de casamento. Todos registrados em cartório. Quando o contratador precisou voltar para Portugal, levou quatro filhos homens para estudarem lá. Xica ficou no Tijuco com as meninas e a posse de todas as propriedades deixadas pelo marido. E muitos diamantes e ouro.

Enfim, viveu ricamente, frequentando a alta sociedade local e de Vila Rica. Seus filhos viraram figurões na corte em Lisboa. Suas filhas fizeram bons casamentos.

Pertencia a quatro irmandades religiosas, as quais ajudava financeiramente. Quando faleceu, em 1796, com 64 anos e 16 filhos, teve a honra de ser enterrada dentro de uma igreja. A Igreja de São Francisco de Assis, onde seu corpo está até hoje.

E José Wilker? Onde entra na história? Era o conde de Valadares, dez anos mais moço do que ela, substituto do ex-marido. Português que também se engraçou com ela. Mesmo depois de tantos partos, ainda sabia enlouquecer um homem. Pelo visto, ainda gostava.

Mas a imagem que ficou da Xica da Silva foi a de Zezé Motta, magnífica no filme.

Convidei Xica da Silva para passar o carnaval em Florianópolis e desfilar pela Escola de Samba Protegidos da Princesa, no sambódromo Passarela do Samba Nego Quirino. Convenci o presidente da Liga das Escolas de Samba e o carnavalesco da Protegidos de que seria um sucesso. A prefeitura arcou com passagens, hotel e cachê. Tudo certo. E eu faria esta entrevista exclusiva para o livro.

No fundo, todos nós que fomos recebê-la no aeroporto esperávamos uma espécie de Zezé Motta, de 1976 — quase quarenta anos atrás —, com aquela cabeleira cinza subindo pelas ladeiras de Diamantina.

Mas quem aparece ali no saguão de desembarque do aeroporto Hercílio Luz é a Xica da Silva verdadeira, bem diferente da Zezé. Um espanto de moça. Com todo respeito à minha amiga Zezé, superava.

Uma mulataça nos seus 20 e tantos anos, mais de um e oitenta de altura, olhos meio esverdeados (isso o Cacá Diegues não sabia), aquele cabelo afro-diamantino, dentes brancos, sorrindo gostoso para os fotógrafos.

Xica se aproxima empurrando uma velhinha cadeirante igualmente sorridente, ali pela casa dos 80, usando dentadura e de cabelos pintados e alisados.

Depois dos cumprimentos gerais, ela nos apresenta à avó.

— Quando a vovó soube que eu ia desfilar na avenida, fez questão de vir.

Estico a mão.

— Muito prazer, dona...

Com um pouco de dificuldade ela se apresenta, cumprimentando-me com dedos frios.

— Nhá Rosaura.

— A senhora vai ficar conosco no camarote do prefeito!

Ela olha para a Xica. E a Xica:

— Nada disso. Ela quer desfilar. Na cadeira.

— Vou já mandar fazer uma fantasia para a senhora, Nhá Isaura! — exclama Pedroca, o carnavalesco.

— Rosaura!

— Que ótimo! — disse a Xica.

E a Nhá Rosaura abriu um sorriso do tamanho do sambódromo.

— Hoje de noite levo o vestido, Xica. O seu já está pronto, e vamos ver o que conseguimos para a sua avó — adianta Pedroca.

— Obrigada. Vamos, pessoal?

Meu Deus, aquele sotaque de mineirinha da Xica já desorienta qualquer um. Com gosto de pão de queijo. Pão de queijo quentinho, saindo do forno.

E, antes de alguém falar um "Muito prazer" ou "Como foram de viagem?", ela começa a tomar conta da situação.

— Vamos para o hotel. Precisamos nos organizar.

A avó me puxa pela camisa.

— Onde estamos? Quem é o senhor? Aqui é bonito?

— Depois eu explico, vovó — acalma a neta.

Acho a velha meio caduca. Fico na minha.

Posamos mais para os fotógrafos dos jornais locais, e Xica da Silva dá um — e apenas um — autógrafo para uma garotinha que não tem a menor ideia de quem ela é. Tem cara de atriz da Globo. Eu comento:

— Sim, a van está aí na porta. Tem uma equipe da televisão nos esperando no hotel. Mas nada de entrevistas para eles. Tá no contrato.

— Fica tranquilo.

A velhinha sorri para todos. Usa uma boa dentadura, e o sorriso é muito simpático. Acena para um pequeno público de umas seis pessoas.

No Majestic Palace Hotel, somem atrás das portas do elevador. Fico de me encontrar com as duas às oito: ostra! Eu e as duas.

Estava combinado de ela não dar entrevista para ninguém. A exclusividade era minha. Nem para a Globo-RBS, que mantinha uma equipe na porta do hotel.

Quando volto para o Majestic, interfono, e a Xica diz que está descendo. E desce sozinha.

— E a sua avó?

Xica parece nervosa. Imagino que a velha esteja dando alterações lá em cima.

— Vamos até o bar do hotel — diz ela.

Vamos. Xica pede um bom vinho e ainda brinca:

— A prefeitura está pagando as bebidas?

— Não. Eu ofereço.

Falamos um pouco sobre a cidade que ela não conhece. Ela chega a perguntar se não havia negros na cidade, que não havia visto nenhum.

— Mas tem, claro — respondo. — É que aqui não houve escravatura. E, se houve, foi mínima.

Ela dá o primeiro gole.

— É o seguinte: vou abrir o jogo para facilitar tudo. A vovó está com Alzheimer.

— Sim, sei como é isso. Por que essa sua cara de mistério? Podemos arrumar alguém para ficar com ela.

— Estou com esta cara porque ela é a verdadeira Xica da Silva. Eu sou a neta. Sou a filha do padre Rolim, ex-amante dela, com a Quitéria Rita, minha mãe, filha da Xica da Silva. Entendeu? Sou neta da Xica da Silva...

Primeiro eu acho que é brincadeira dela. Mas, pelo jeito que ela me encara, é sério. Dou um grande gole de vinho. Mais um. A neta da Xica da Silva me olha, esperando eu dizer alguma coisa.

Um sorrisinho no canto direito da boca. Quer dizer que aquela velhinha toda fodida é o que resta da Xica da Silva? A única coisa que consigo dizer é:

— A Xica da Silva está com Alzheimer?

— Em estado muito avançado. Não tem noção nem de quem é. Incapaz de responder a qualquer coisa sobre a vida dela.

Outro tempo sem ninguém falar nada. Começo a perceber que está tudo perdido. Filha de padre, ainda por cima. Começo a falar da minha mãe, coitada.

— Sei como é isso. Convivi com isso. Mamãe teve Alzheimer.

Longos silêncios. Pedimos os pratos. Ficamos nos olhando, sérios. O bar está meio vazio, apesar de ser sábado de carnaval. O desfile dela será no dia seguinte. Eu me preocupo. Ela percebe.

— Eu te dou a entrevista. Sei tudo, em detalhes.

Fico sem saber como agir.

— Ela está sozinha?

— Já dormiu. Agora vai até as seis da manhã. E amanhã ela vai querer desfilar. Eu empurro, e ela vai na cadeira, acenando. Adora acenar. Sempre gostou de acenar.

— Mas e a entrevista para o meu livro?

— Não tem condições. Ela não se lembra de mais nada. Só a trouxe para ela sair um pouco de Diamantina, ver o mar... Ela sempre quis ver o mar, os navios. Você não viu no filme?

— Quer dizer que não tem entrevista? Você veio pra sua avó conhecer o mar e pelos 20 mil de cachê da prefeitura! Isso é estelionato, minha filha!

— Seu Mario... Eu dou a...

— Mario.

— Mario, eu e ela estamos vivendo disso. Do passado dela.

Eu me passo por ela... Eu falo por ela — em palestras, faço desfiles. Aliás, um dos motivos da nossa vinda é que eu queria saber se o senhor não quer escrever um livro sobre a verdadeira história dela. Ela não foi nenhuma puta.

— Mas se você diz que ela não fala coisa com coisa...

— Mas sei tudo da vida dela, tudo. Já disse.

— Qual o seu nome?

— Mariana. A seu dispor.

Este "a seu dispor" tem alguma sacanagem por trás, prometida por um sorrisinho mineiro. Começo a não gostar do rumo que a situação toma. Não acho honesto a vinda das duas. E a Mariana faz boquinhas para mim. A moça tenta me seduzir, pegar o dinheiro da prefeitura, empurrando a velha que acena pela avenida. E eu não terei entrevista alguma. Não quero a Mariana respondendo pela avó. E também não quero inventar uma entrevista, logo com a Xica da Silva. Mas a Mariana é muito gostosa, meu Deus. Estou numa encruzilhada.

— Se eu falar com ela, ela não vai se lembrar de nada?

— Até pouco tempo ela ainda se lembrava dos fatos antigos. Agora, nem isso. E a gente precisa desse cachê, Mario. Entenda! O governo de Minas não dá nenhum tostão para nós. Nem mesmo o prefeito de Diamantina. Celebridade velha é uma merda!

Bebemos mais uns goles em silêncio. Chegam umas coisinhas pra beliscar.

— Então, se eu estou entendendo, você usa a sua avó pra faturar.

— Ah, meu amor, não fales assim. Para faturar para ela... Vós não estais a pagar nenhuma fortuna.

— Sim, mas vinte aqui, vinte ali...

Ela começa a alisar os pelos do meu braço. Retiro o braço de perto dela.

— Senhorita, chegaram os vestidos e as perucas — disse o garçom.

Claro que fui eu — e a escola de samba — quem mandou fazer a roupa para a Xica desfilar. Com as medidas que a Mariana havia me enviado, tudo assinado pela Xica.

— Pode mandar deixar no meu quarto. Só não faça barulho para não acordar a vovó.

— Pois não. Com licença.

— As medidas que você me mandou da Xica são as suas? — pergunto, desconfiado.

— Claro, uai.

Esse "uai" é gostoso demais.

Começo a ficar mais confuso, resolvo pagar a contar e ir comer ostras em Sambaqui, no Restinga. Ela topa, me pede uns minutos, que vai ajeitar tudo no quarto. Fico na mesa tomando o finzinho do vinho.

De repente, depois de uns vinte minutos, vejo as pessoas olhando para a entrada do bar. É a Mariana Rolim, a filha do padre, neta da Xica, tal e qual no filme do Cacá Diegues. Ninguém estranha porque é sábado de carnaval. Ficam fascinados. E todos reparam o desfile dela até a minha mesa. Impossível deixar de olhar para aquele monumento mulato, aquele pedaço do Brasil naquela ilha cheia de louros, naqueles seios que saltavam, na maquiagem que realça ainda mais a tal da Mariana. E os dentes tão diferentes da dentadura da velhinha que dormia lá em cima. Um espetáculo. E chego a pensar que 20 mil está de bom tamanho. Ela volta a se sentar e pergunta:

— Vamos pedir mais uma garrafa antes das ostras?

Estou quase tremendo. É melhor do que a encomenda. Será que isso está incluído no cachê? Já não penso mais na entrevista perdida. Só penso que as ostras são afrodisíacas.

— Vamos, claro.

Faço um sinal para o garçom, aponto a garrafa de vinho, ele entende. Penso no Walmor Chagas e no meu amigo José Wilker, que foram amantes da Xica do Cacá. Ambos recentemente falecidos. Eles não acreditariam. Penso em telefonar para o Cacá Diegues e propor a continuação do filme dele com roteiro meu.

— Onde está a tua cabeça? Estou a te sentir distante.

Só consigo me lembrar do Carlos Gomes me contando que o Oswald de Andrade não tinha entendido que a Isadora Duncan queria dar para ele. E não comeu. Já estou com esses pensamentos na cabeça. Oswald de Andrade, Cacá Diegues, Zé Wilker de Almeida. Quando ela me cutuca:

— Ei.

— Desculpa. De repente estava pensando na mamãe.

— Na sua mãe?

— Sim, o Alzheimer. Por causa da sua avó. Me lembrei da mamãe.

— De novo? Você tinha algum problema com a tua mãe?

— Vá à merda, menina!

Pela cara dela, percebo que eu estou indo pelo caminho errado.

— Desculpa, mas isso é hora de pensar em mãe? É viva?

— Não, já morreu há alguns anos.

— Ih...

— Não devia nem estar falando nela. Uma falta de respeito, afinal isto é um livro. Ela teve Alzheimer.

— Livro? Que livro? Tu estás bêbado? Já?

— Eu vou te contar uma história envolvendo um grande escritor brasileiro, o Oswald de Andrade, e uma grande bailarina californiana. Da Califórnia, sabe? E quem me contou foi o Carlos Gomes, nosso grande músico.

Ela ia servindo meu copo, parou a garrafa no meio do gesto.

— Acho melhor não beberes mais, senhor! Califórnia, que raio... Tu estás completamente bêbado. Acho melhor deixarmos as ostras para outro dia.

— Um momento. Me deixe assoviar um pedaço de *O guarani* para você. Tu vais gostar.

E começo a assoviar. Ela se levanta e sai de costas, olhando para mim. Eu assoviando e me servindo de mais um copo. E mais um. E outro. Estou tonto. Doido de tesão.

E só penso no Oswald de Andrade e na visão da Isadora Duncan morrendo num acidente de carro conversível, quando a sua echarpe ficou presa numa das rodas, estrangulando-a. Dizem que suas últimas palavras antes de entrar no carro daquele jovem foram: "Adeus, amigos! Vou para a glória."

Que merda! Acho melhor não publicar nada disso. Vai pegar muito mal! Ninguém vai acreditar nessa conversa. Parecendo ficção! Das brabas!

Para dizer a verdade, nem mesmo fui ver a Escola de Samba no dia seguinte. Fiquei em casa, vi a Mariana, de Xica da Silva, dando uma longa entrevista para a Globo. Ao fundo, na cadeira de rodas, com um sorriso meio débil nos lábios murchos, dava para ver a verdadeira Xica da Silva acenando para o mar de Florianópolis.

DONA MARIA I,

A LOUCA: - ESTE FUMO É DO MARANHÃO?

* LISBOA, PORTUGAL, 17 DE DEZEMBRO DE 1734 † RIO DE JANEIRO, RJ, BRASIL, 20 DE MARÇO DE 1816

Nascida Maria Francisca Isabel Josefa Antónia Gertrudes Rita Joana de Bragança, imortalizou-se em Portugal como D. Maria I, a Pia. Ou D. Maria I, a Piedosa. No Brasil, onde morreu aos 81 anos, todos a conheciam como D. Maria I, a Louca. Pra começar, ela desembarcou careca no Brasil, por causa dos piolhos na viagem. Ela e a D. Carlota Joaquina. Carecas. As socialites baianas e depois as cariocas acharam que era a última moda na Europa, e todo mundo ficou careca.

Quem foi essa mulher, mãe de D. João VI, avó querida de D. Pedro I? Com sua voz rouca, ela me recebeu na sacristia da Basílica da Estrela (ou Real Basílica e Convento do Santíssimo Coração de Jesus), imponente igreja de Lisboa construída por ela mesma em 1789, considerada padrão Fifa já naquela época.

O que poucos sabem no Brasil é que ela governou Portugal durante quinze anos (de 1777 a 1792, quando, dizem, pirou de vez e foi substituída por D. João VI, aquele que não tomava banho, o das coxinhas).

D. Maria entra atrasada na sacristia e logo esbraveja:

— Acho muito oportuna esta entrevista, meu filho. Pois até hoje ainda não pude me manifestar sobre o desfile das escolas de samba do Rio de Janeiro de 2008!

— Mas o que houve, alteza?

— Não te faças de desentendido, ó biltre! Fizeram uma homenagem à nossa ida para o Brasil em 1808, duzentos anos antes de 2008, portanto, e sabes quem foi que me representou? Um homem! Um homem! Astolfo Barroso Pinto!

— Eu nunca ouvi falar nisto.

— E no travesti Rogéria, já? Rogéria encarnando D. Maria I, a louca, como dizem vosmecês. Um travesti que tem Pinto até no nome.

— A senhora vai me desculpar, mas a Rogéria é uma grande atriz!

— E tem mais: vamos esclarecer de uma vez por todas esse negócio de "a Louca"! Vá a Portugal, meu filho, e pergunte quem foi a rainha Maria I. Os brasileiros não sabem de nada a meu respeito. Teve uma peça de teatro escrita por um brasileiro e interpretada por uma atriz portuguesa, a Maria do Céu Guerra, que me faz justiça. O autor foi o Antônio Cunha. Foi representada no Teatro Barraca, em Lisboa, conhece? Uma beleza. Agora, há dois anos.

— A peça se chamava *Dona Maria, a Louca*!

— Me respeitava. Maria do Céu é a melhor atriz portuguesa.

Longa pausa.

— Por que a senhora enlouqueceu? Se é que enlouqueceu.

— Tive um Alzheimer rápido, e o João (D. João VI) me tirou do trono. Vê a vida que tive, se não era pra pirar: em primeiro lugar, por questão lá dos Bragança, tive que me casar com o meu tio Pedro de Bragança. Não vais confundir com o Pedro I e o Pedro II, meu neto e o outro bisneto. Casei com o meu tio. Já foi uma barra! Mas tudo bem.

D. Maria abre uma pequena bolsa prateada e tira um cigarrinho já enrolado.

— Posso?

— Maconha?

— Haxixe. Aceita?

— Obrigado, me dá muita larica. Tenho maconha aqui.

— Se for do Maranhão, vou aceitar.

Enquanto vou buscar, começo a pensar no "a Louca". Será que era isso? Será por causa da maconha que o D. João assumiu os assuntos de Estado em 1792, quando ela estava ainda com 58 anos?

Ela dá uma forte tragada.

— Continuando. Eu estava falando do que mesmo? Minha memória ultimamente...

— A senhora se casou com o tio Pedro.

— Isso! Obrigada. Muito boa essa do Maranhão. Isso não chega aqui a Lisboa. Vai direto para Paris. Napoleão, sabe? Só fuma do Maranhão! Como eu ia dizendo, casei com o tio Pedro. Que não tinha mais nada a fazer na vida a não ser sexo. Tive sete filhos com ele em quinze anos. É mole? Agora vê, meu amigo, se não era para enlouquecer. Dos sete, só um sobreviveu. Se tu tens filhos sabes a dor e a loucura que é isso. Meu primeiro foi o José, que viveu apenas 17 anos, mas chegou a se casar com uma tia. Minha irmã. Meu filho se casou com a minha irmã! O pai casado com uma sobrinha e o filho com uma tia. Acho que ele virou tio dele mesmo, jamais entendi direito. O segundo filho, o João, nasceu morto. Olha a dor. Tive um segundo João, que nasceu em setembro de 63 e morreu 24 dias depois. Eu, firme. Tive um quarto filho. Este vingou.

— Este que viria a ser o nosso D. João VI.

— Exatamente. Depois dele, em 68, nasceu Mariana Vitória no Palácio de Queluz.

— Maravilhoso.

— O fumo?

— O Palácio de Queluz.

— E o tio Pedro, meu marido, a fornicar. Em 74 nasceu Maria Clementina, que morreu com 2 anos. E, pra fechar esta parte da minha vida, em 76 nasceu Maria Isabel, que morreu com 6 meses. É pra enlouquecer ou não? E eu no governo! Despachando! E não tinha esse negócio de primeiro-ministro como a rainha Elizabeth II, não. Era eu. Tudo eu!

— A senhora se lembra de alguns atos do seu reinado?

— Claro que me lembro. Portugal teve um grande desenvolvimento cultural e científico nas minhas mãos. Daí que veio o gosto pelas ciências e pelas artes do meu bisneto, o Pedro II, do Brasil. Fundei a Academia Real das Ciências de Lisboa e mandei reconstruir a Real Biblioteca Pública da Corte, que havia se incendiado durante o terremoto de 1755.

— E foi também durante o seu reinado que aconteceu o processo, a condenação e a execução do alferes Joaquim José da Silva Xavier.

— Quem é esse elemento? Desconheço.

— O Tiradentes.

— Sim, foi, foi. Coitado deste estomatologista. Entrou de gaia-

to na história. Sugiro que tu faças uma entrevista com ele. Ele vai te contar tudo. Se tinha alguém daquela canalha de latifundiários que não devia morrer, era ele. Era pobrezinho, sabe?, sem pistolão. Mandei rezar várias missas por ele e toda a sua família. Um mártir, um injustiçado. Dizem, excelente no ofício de extrair molares a seco.

— Enquanto eu estava enrolando, a senhora disse que gostaria de falar sobre a biblioteca.

— Ah, sim, já havia me esquecido completamente. Durante o meu reinado, de todos os livros que a MCGSECL mandava queimar eu guardava um exemplar comigo.

— O que é essa sigla horrorosa?

— Mesa da Comissão Geral Sobre Exame e Censura de Livros. Resquícios da Inquisição em Portugal. Não me interrompas, ó raios! Obras que foram banidas do público por motivos religiosos, políticos ou até eróticos. Guardava tudo. Ninguém sabia disso, nem o Pedro. Livros dos séculos XV e XVI, tudo queimado. Quando viemos para o Brasil em 1807 (chegamos em 1808), trouxe todos comigo. Além dos 60 mil volumes da Biblioteca, que foram esquecidos no cais, na hora da partida, debaixo de uma puta chuva. Esse fumo é muito forte. Os 60 mil livros só chegaram muito depois. Mas eu trouxe todos os proibidos. Isso ninguém nunca comentou.

— Há quem diga que a senhora era a pessoa mais lúcida de todos os 16 mil portugueses que chegaram aqui em 1808.

— De todos eu não posso dizer, mas com certeza mais lúcida que o meu filho D. João VI e minha nora D. Carlota Joaquina. Eles eram caretas, preguiçosos... uma lástima. Eu fazia muita fé no Pedrinho, que acabou proclamando a Independência do Brasil.

Um grande neto, um grande português!

— É verdade que, quando a senhora se dirigia ao rio Tejo para embarcar para o Brasil, gritava para os homens que estavam guiando a carruagem: "Devagar, devagar, senão eles vão pensar que eu estou fugindo."

— Não foi bem isso, eu gritava: "Devagar, devagar, senão eles vão pensar que eu estou muito louca."

— Ok. Seu neto nos deu uma entrevista dizendo que a senhora o ensinou a tocar piano.

— Disse isso, foi? Este era um dos poucos defeitos dele. Mentia muito. Desde pequenininho. Nunca toquei piano! Tocava trombone! Trombone de vara, conheces? Ainda toco de vez em quando, embora meu fôlego não esteja lá essas maravilhas. — Olha para a bituca. — Me dê mais um aí, que eu faço um solo de trombone para ti, que foste mui simpático. [Grita para dentro da sacristia] Joaninha, traga o trombone e uns docinhos, Joaninha! E incenso! Muito incenso que a noite vai ser longa!

— D. Maria, a senhora é o máximo! Trombone...

E ela começa a tocar o trombone que logo chegou.

TIRADENTES:

A CORDA (NÃO) ARREBENTOU DO LADO MAIS FRACO. ENFORCOU!

* RITÁPOLIS, MG, BRASIL, 16 DE AGOSTO DE 1746 † RIO DE JANEIRO, RJ, BRASIL, 21 DE ABRIL DE 1792

Sempre me surpreendo quando encontro com meus entrevistados pela primeira vez. Com o Tiradentes, nascido e enforcado Joaquim José da Silva Xavier, aconteceu o mesmo. Sem barba e com o cabelo bem curtinho, foi difícil reconhecê-lo ali na Maria Bonita — Comida Caseira, em plena praça central de Ouro Preto. Ninguém jamais o reconheceria.

Meio desdentado. "Naquela época éramos todos assim. Sem dentes. Tanto aqui como em Portugal e até Paris. Estou a saber que, em Portugal, até irem os dentistas brasileiros para lá, arrancavam-se os dentes", justifica ele, explicando a alcunha de Tiradentes. E me confidenciou que nunca foi cabeludo, muito menos barbudo. "Tudo cresceu na prisão", onde durante quase três anos aguardou as ordens de Portugal (de D. Maria I, a Louca, mais precisamente).

Nesta conversa franca (como diria a *Playboy*), ele fala de sua vida e morte, dos amigos Cláudio Manuel da Costa, Tomás Antônio Gonzaga, das traições. Fala de uma amante carioca chamada Perpétua e de um projeto para canalização dos rios Andaraí e Maracanã, no Rio de Janeiro. Além de dentista, foi minerador e militar. Pediu demissão porque nunca subiu de posto. Sempre foi alferes, patente mais baixa do oficialato na época. Era — e ele sabe disto — o mais insignificante de todos os revolucionários. Só que, no caso, a corda não arrebentou para o lado do mais fraco. A corda o matou.

E fez algumas revelações surpreendentes: Cláudio Manuel da Costa não teria se suicidado, e sim sido assassinado, e a chamada Inconfidência Mineira queria separar Minas de Portugal e, pasmem!, do Brasil. Queria ser um país independente.

— O senhor pediu demissão da carreira militar por não conseguir promoções. O senhor era incapaz?

— Incapaz é a puta que te pariste!

— Perdão. Quase três anos depois o senhor seria enforcado como revolucionário. O único. Consta na história do Brasil que o senhor era o menos influente, sem amigos na corte, sem pistolão!

— Exato. E a louca da D. Maria I sabia, é claro.

— Todos eram grandes latifundiários, altos militares, intelectuais vindos de Coimbra e da Sorbonne. E o senhor apenas arrancava dentes.

— Eu fui e sou o mártir! O dia da minha morte [21 de abril] é feriado até hoje. E tenho muito orgulho da minha profissão de estomatologista. Ninguém comenta o meu trabalho no Rio de Janeiro, do projeto para a canalização dos rios Andaraí e Maracanã. Só saio nas fotos com a corda no pescoço. Para tu teres uma ideia, quando o governador Visconde de Barbacena mandou prender todo mundo, eu nem mesmo estava nas Minas Gerais.

— Não?! Onde o senhor estava?

— Na casa da minha namorada, Perpétua Mineira, no Rio de Janeiro. A fornicar, como convinha. Sempre gostei muito de sexo. Por isso a vasectomia. Soube da cagada toda lá na casa dela, dias, semanas depois.

— O senhor teve filhos com ela?

— Não, acabei de dizer que já era vasectomizado. Presta atenção à conversa!

— Presta atenção o senhor! Em muitos lugares falam de filhos do senhor. Que vasectomia é essa? O senhor teve filhos, sim, senhor!

Ele se levanta, como dando por encerrada a entrevista. Mas, em poucos segundos, volta mais calmo.

— Então, por que dizem que os seus descendentes foram considerados infames?

— Sei lá, acho que a D. Maria I, que foi quem assinou a sentença, devia estar muito louca. Dizem, não sei, que era maconheira. Nunca tive descendentes. E não se fala mais nisso.

— O senhor teve descendentes, sim! O senhor teria tido dois filhos com a D. Eugênia Joaquina da Silva. Uma, Joaquina, que morreu cedo, e João de Almeida Beltrão, que, só ele, teve oito filhos. Oito netos, portanto. E vou mais longe. Um desses seus netos trocou o seu sobrenome por Zica, e alguns dos seus descendentes recebem pensão. O senhor sabe muito bem disso. Uma neta do senhor, nascida em março de 1819, D. Carolina Augusta Cesarina, falecida em 30 de setembro de 1905, viveu e morreu em Uberaba, Minas Gerais!

— E como é que o senhor sabe disso?

— Nasci em Uberaba, e ela teve alguma coisa com um Prata.

— O senhor está querendo me dizer que é meu descendente?

— Mudemos de assunto. O senhor teve o corpo esquartejado, e sua cabeça ficou num poste em Ouro Preto.

— Em Vila Rica! Tudo mentira. Meu jovem, eu fui enforcado no Rio de Janeiro. Como é que iam me esquartejar e trazer os pedaços para Vila Rica? Sabes quantos dias levava a viagem a cavalo? Imagina! A minha cabeça ia chegar só os ossos e os cabelos... Aqui em Vila Rica salgaram o chão da minha casa para nada crescer. O que iria crescer na sala? Ideia de portugueses. A verdade é bem outra.

— E qual é a verdade?

— O circo que armaram no Rio de Janeiro, para mostrar que com Portugal não se brincava. Eu sei que tu não vais acreditar, a leitura da sentença demorou dezoito horas, contando as aclamações à rainha e o desfile em carro aberto na viatura do corpo de bombeiros, com direito a fanfarra e toda a tropa carioca. Um espetáculo digno do enterro daquele meu outro conterrâneo, o Tancredo Neves. Enfim, uma palhaçada. Não o enterro do senhor Neves, mas o meu enforcamento. E essa palhaçada toda só serviu para deixar a população ainda mais puta com a Coroa.

— E os demais inconfidentes?

— Primeiro, fomos todos condenados à morte. Depois de três anos de negociação, lobby mesmo, só eu que me fodi. Desculpe a expressão. Os outros foram degredados, expulsos do país, onde morreram.

— Um deles, o Cláudio Manuel da Costa, grande poeta do arcadismo, se suicidou na prisão.

— Na época, correu uma fofoca braba de que ele teria sido assassinado. Naquele tempo eram proibidas as missas para os suicidas. E para o Cláudio foram várias as igrejas que rezaram, em toda Minas Gerais.

— Ele não teria se enforcado?

— Sim, como o Wladimir Herzog. A foto seria igual. Ele teria usado cadarços do calção, amarrado-os numa prateleira, onde teria apertado o laço, e se forçado com um braço e o joelho. Acho meio difícil conseguir se enforcar assim. Tu não achas?

— Por que ele teria sido assassinado?

— Frequentava o palácio do governador. Sabia muito. O Visconde de Barbacena tinha medo de que ele falasse mais do que o necessário durante as torturas. Enfim, jamais saberemos a verdade. Dizem até que ele teria se matado porque estava deprimido.

— Ele sofria de depressão?

— Conversei muito com ele na véspera. O dia da morte dele foi 4 de julho. Comemorava-se o ano 13 da Independência americana. E nós ali, presos. Não era depressão, era pensar que no norte já estavam livres da colônia, dos ingleses. Todo dia 4 de julho a gente enchia a cara aqui em Minas. Era um exemplo.

— Quem eram os inconfidentes?

— Tinha de tudo. Desde os estudantes que voltavam de Coimbra e de Paris bradando "*Liberté, Egalité, Fraternité, ou la mort!*". Esses jovens foram logo cooptados pelos latifundiários, pelos milionários mineiros que não estavam mais a fim de mandar milhares de arrobas de prata, ouro e diamantes por ano para Portugal. Não havia sentido de brasilidade na empreitada, não! Era para transformar Minas Gerais num país independente de Portugal e do Brasil. Já estava tudo resolvido. A capital do novo país seria São João del-Rei, e o primeiro presidente o Tomás Antônio Gonzaga. Depois de três anos teria eleições. Uma república encravada no meio do Brasil. Claro que ia dar merda.

— Quer dizer que o interesse primeiro era a grana e o poder.

— Claro, né, mané? Exatamente como hoje. Sai São João del-Rei, entra Brasília.

— E sobre a traição? O que o senhor tem a nos contar?

— Joaquim Silvério dos Reis Montenegro Leiria Grutes é o cara. Rapaz, o gajo era um militar português, coronel comandante do Regimento de Cavalaria Auxiliar de Borda do Campo, fazendeiro, proprietário de minas e... falido. Tava fodido e muitíssimo mal pago. Na época diziam (consta, né?) que seria gay e participava de umas festinhas no palácio. Dizem, ninguém prova. O governador também era bem afetado, o Barbacena. Tinha chegado um ano antes e cobrado cinco toneladas de ouro para a corte. Era a tal da derrama. O Joaquim delatou tudo para ele, entregou o nome de todos nós, as datas, tudo, certo de que obteria o perdão das suas dívidas. Já ouviu falar em delação premiada? Conhece bem, né? Invenção deste filho da puta. Sabia que a mulher dele, a D. Bernardina Quitéria, era tia do duque de Caxias? Olha a turma...

— Ele também foi expulso do país?

— Nada! Ficou perambulando por aí, chamado de traidor. Sofreu vários atentados. Até fogo chegaram a atear numa casa dele. Morreu só em 1819, em São Luís do Maranhão. Dizem que havia morado um tempo em Portugal e depois voltou com a turma de 1808. Como tu vês, sempre perto do poder. Um escroto de marca maior. Um autêntico lobista. Seus restos mortais foram enterrados no interior da igreja de São João Batista, na capital maranhense. Depois, o túmulo foi destruído.

— E a Marília de Dirceu? Conheceu?

— Não queria falar nela. O Tomás a tomou de mim. E nem se chamava Marília, como ele não se chamava Dirceu. Não quero falar nela, dizem que virou mulher-macho na velhice. Eu queria era voltar um pouco atrás e ler-te uma coisinha sobre a morte do Cláudio Manuel da Costa.

— Por favor.

— O pesquisador e colaborador do Instituto Histórico e Geográfico Brasileiro Joaquim Norberto de Souza e Silva assim escreve em sua obra *História da Conjuração Mineira*, de 1860: "Ah! e que longa agonia não sofreu ele, como indicava a posição de seu cadáver tendo uma liga por baraço [corda], pendente de um armário, com um dos joelhos firmado sobre uma das prateleiras e o braço direito forcejando debaixo para cima contra a tábua na qual prendera o baraço, como procurando estreitar o fatal laço que zombara da gravidade de seu corpo, já tão debilitado pelos anos e trabalhos!..." Tinha 60 anos.

— É, parece que já vi essa foto.

— E tem mais: na tarde do mesmo dia em que o Cláudio Manuel foi preso, mataram no sítio da Vargem sua filha, seu genro e outros familiares. E ainda roubaram todos os seus bens. É, meu filho, o Brasil continua o mesmo...

Ele fica me olhando, chega bem perto, segura o meu rosto. Achei que ele perguntaria se sou realmente descendente dele.

— Senhor, estás com o segundo molar cariado! Deixa-me ver isto. Posso arrancá-lo?

DOM JOÃO VI:

MAMÃE TOMOU DOIS BANHOS NA VIDA

* LISBOA, PORTUGAL, 13 DE MAIO DE 1767 † LISBOA, PORTUGAL, 10 DE MARÇO DE 1826

Dom João VI (João Maria José Francisco Xavier de Paula Luis António Domingos Rafael de Bragança, "O Clemente") foi um sujeito azarado. Em primeiro lugar, porque não estava preparado para ser o rei de Portugal. Seu irmão mais velho, herdeiro do trono português, José, morreu, e sua mãe, Maria I, pirou de vez: dezessete médicos assinaram um atestado dizendo que ela não tinha mais a menor condição de tocar o reino, incluindo aí o Brasil. João passou a ser o cara.

Como se isso não bastasse — o despreparo real —, casou-se com uma das mulheres mais feias e bravas de toda a Europa. Uma tal de Carlota Joaquina, de Espanha. E, desgraça das desgraças, Napoleão começou a marchar em direção a Portugal. O rei fugiu, levou toda a corte (entre 10 e 15 mil pessoas), todo o dinheiro e todos os corruptos do país.

E vieram para o carnaval de Salvador primeiro e depois para o Rio de Janeiro. Há quem diga que, apesar de tudo, ele foi o verdadeiro mentor do moderno Estado brasileiro. Não sei se isso é um elogio ou um puxão de orelhas. E parece não ser verdade que ele andava com coxinhas de galinha nos bolsos.

Assim como sua mulher, a ninfomaníaca espanhola Carlota, João era feio demais (em todas as fases da vida). E rola até a fofoca real (ou imperial) de um certo homossexualismo da parte dele.

E banho, jamais. Teve nove filhos. Provavelmente alguns não eram dele. Dom Pedro I seria?

Conversei com a controvertida figura no Castelo de Sintra, a poucos quilômetros de Lisboa. Ele fedia, e muito.

— Pelo que estou vendo e sentindo o senhor não toma banho mesmo.

— Eu diria que tu és quem tomas muito banho, meu jovem. Naquele tempo não se usava tomar banho. Não era eu! Ninguém tomava banho! Nem o papa! Foram os índios quem ensinaram vosmecê a tomar até mais de um banho por dia. Os índios eram muito cheirosos. Mas nem Bonaparte, que usava os melhores perfumes franceses, tomava.

— O senhor nunca tomou banho?

— Minha mãe, Maria, tomou dois. Quando nasceu e no dia do seu casamento. E não venhas me dizer que foi por isso que ela enlouqueceu. Não vim aqui para ficar respondendo quantos banhos já tomei, ora pois!

— Ouvi dizer que certa vez enfiaram o senhor dentro de uma tina lá em São Cristóvão, de roupa e tudo, para matar dois coelhos com uma só cajadada. Lavar o senhor e a roupa. Parece que a roupa também não era lavada havia algumas décadas.

— Fofocas, fofocas. O Bonaparte deve ter inventado isso.

— O senhor odeia o Bonaparte, né?

Ele ignora a minha intervenção.

— Em Roma, uns trezentos anos antes de Cristo, inventaram os banhos coletivos. Dizem que existiam onze aquedutos para levar água até a cidade. Os banhos viraram logo uma sacanagem danada. Na Idade Média, falava-se que a água amolecia a alma. Toda a família tomava banho na mesma tina, com a mesma água, duas vezes por ano, tu imaginas. Por ordem de idade. "*The man of the house had the privilege of the nice clean water, then all the other sons and men, then the women and finally the children, last of all the babies. By then the water was so dirty you could actually lose someone in it. Hence the saying, 'Don't throw the baby out with the bath water.'*" Gostou do meu inglês?

— Yeah!

— E te digo mais: no site popcrunch.com está bem claro: aquela atriz, não sei o quê Roberts, "fica dias sem tomar banho. E também não lava o seu cabelo".

Vou conferir e acho em outro blog, www.fofocandoblog.com:

— "Ela é totalmente hippie", disse o segurança da atriz. "Ela fica dias sem tomar banho. Gosta de economizar água e adora seu cheiro natural. Ela também não lava seu cabelo, pois está sempre seco e às vezes fica um pouco oleoso. Seu marido não se importa", acrescentou.

Mesmo assim não acreditei. Tem textos meus pela internet que eu nunca escrevi. Defendi a mulher:

— E o senhor acredita na internet? O senhor acha mesmo que aquela grande atriz, lindíssima!, não toma banho nem lava o cabelo? Isso se chama fofoca, majestade.

— Eu sei que se chama fofoca. Acabei de usá-la.

— Se fosse a Elisabeth Taylor...

— Ou o Richard Burton... E tu vens me encher os colhões com os meus banhos? Por que não perguntas a respeito da criação da Imprensa Régia, da fundação do Banco do Brasil, do Jardim Botânico, do Arsenal da Marinha, do Corpo de Bombeiros, do Teatro Real de São João, do Primeiro Campeonato Fluminense de Petecas... Fiz muito pelo teu país, rapaz.

— Eu iria chegar lá. Voltemos então ao seu casamento. O senhor se casou aos 18 anos com a espanholinha que tinha 10. Como foi isso?

— Tu queres saber se rolou sexo quando ela tinha 10 anos? Claro que não. Ela era esperta e tinha muito juízo com 10 anos.

— O senhor escreveu para a irmã dela, sua cunhada: "Cá há de chegar o tempo em que hei de brincar muito com a infanta. Se for por este andar julgo que nem daqui a seis anos. Bem pouco mais crescida está de quando veio."

— Era ainda muito pequenininha. Ia machucar.

— Quando se deu então a consumação, digamos assim?

— Quando ela tinha 15 anos. No dia 5 de abril de 1790. Era uma taradinha, para minha surpresa. Poderia dizer que já era ninfomaníaca. Quer saber, uma tarada! Fui um grande corno.

— Foi quando começou a sua fase homossexual?

— O que é isso, meu senhor?

— O senhor não era homossexual?

— Longe de mim. Está encerrada a entrevista.

Ele se levanta e vai saindo. Digo um pouco alto:

— Estou me referindo a Francisco de Sousa Lobato, o Chico Lobato.

Ele estanca, volta. Seus olhinhos brilham.

— E o que tem o Chico Lobato a ver com esta conversa?

— Os historiadores Tobias Monteiro e Patrick Wilcken, australiano de Sydney, asseguram que o senhor teria um relacionamento mais íntimo com o Chico Lobato, seu camareiro favorito.

— Ah, sim, mas não era homossexualismo. Ele apenas me masturbava com alguma regularidade. Eu pagava! Isso não chega a ser homossexualismo, meu jovem. Sem introdução, sem carinho, algo mecânico para satisfazer as minhas necessidades. Uma punhetinha de nada... imagina.

— Dizem que um dia o padre Miguel viu a cena e por isso foi deportado para Angola. E o Chico Lobato passou de camareiro a conselheiro do Rei, secretário da Casa do Infantado, secretário de Consciência e Ordens e governador da Fortaleza de Santa Cruz, recebendo também o título de Barão e depois Visconde de Vila Nova da Rainha. Vai negar?

— Não, não nego e reconheço que Chico Lobato era um excelente masturbador. Um exímio profissional. Muito melhor que a megera de Queluz, aquela espanhola louca.

— Ok, voltemos à D. Carlota. No contrato de casamento existia uma cláusula em que ela poderia ter relações sexuais com o senhor a partir dos 14 anos. Se ela quisesse fazer antes, teria podido.

— Já disse que ela tinha 15 na primeira vez.

— O padre José Agostinho de Macedo imprimiu uns folhetos contando sobre a primeira noite de núpcias. O senhor leu?

— Não me lembro. E o que diz? Deve ter sido um monte de mentiras e aleivosias.

— O título é *O gato que cheirou e não comeu.*

— Sim, me lembro agora. A menina, mesmo com 15 anos, mandou dar uma surra de chicote na bunda do enxerido do padre, deixá-lo pelado na rua e aplicar uma seringada de pimenta-do-reino no seu clérigo traseiro, que inclusive consta na Wikipédia. Consta a história, não o clérigo traseiro. Carlota era mais louca do que a minha mãe. Não vamos falar que eu abri os portos do Brasil para as nações amigas?

— Olha a descrição da sua esposa pelo excelente historiador brasileiro Octávio Tarquínio de Sousa: "A mulher era quase horrenda, ossuda, com uma espádua acentuadamente mais alta do que a outra, uns olhos miúdos, a pele grossa que as marcas de bexiga ainda faziam mais áspera, o nariz avermelhado. E pequena, quase anã, claudicante, uma alma ardente, ambiciosa, inquieta, sulcada de paixões, sem escrúpulos, com os impulsos do sexo alvoroçados."

— Perfeito. Gostei. Estou começando a adorar a entrevista. Não sabia que a gente podia falar dessas bobagens. Só me perguntam sobre coxinhas nos bolsos. O historiador brasileiro se esqueceu do buço espesso e dos piolhos. Era um horror aquela espanhola. Fiz questão de te dar a entrevista aqui no Palácio de Sintra pois foi aqui que a filha duma égua morreu em 1830, com 54 anos. Eu já havia morrido fazia quatro anos. Me diga, jovem, tu achas mesmo que aquelas brincadeiras com o Chico Lobato denotam um certo homossexualismo? Era normal na corte.

— Ok.

— Só mais uma informação. Eu não fugi do Napoleão. Eu enganei Napoleão.

— Então, tá.

Mas tem muita gente que concorda com ele. Tem sua lógica, como todas as lógicas portuguesas.

DOM PEDRO I,

OU PEDRO DE ALCÂNTARA FRANCISCO ANTÓNIO JOÃO CARLOS XAVIER DE PAULA MIGUEL RAFAEL JOAQUIM JOSÉ GONZAGA PASCOAL CIPRIANO SERAFIM DE BRAGANÇA E BOURBON, DE PILEQUINHO: – TÁXI!

* QUELUZ, PORTUGAL, 12 DE OUTUBRO DE 1798 † QUELUZ, PORTUGAL, 24 DE SETEMBRO DE 1834

Não foi fácil entrevistar nosso primeiro imperador. Por um tempo, esteve meio arredio com a imprensa brasileira, após seus restos mortais e de suas duas esposas (D. Leopoldina e D. Amélia) literalmente virem à luz, em pesquisa feita pela excelente arqueóloga Valdirene do Carmo Ambiel. "Nada contra a pesquisa da moça", disse ele até envaidecido. "Os brasileiros ficaram um pouco decepcionados porque entre os objetos encontrados havia apenas medalhas e insígnias de Ordens de Portugal. Nem uma mísera medalhinha de Nossa Senhora Aparecida."

E teria feito quase um chiste, uma anedota, falando com o Chalaça (Francisco Gomes da Silva, 1791-1852) quando do convite para esta entrevista que você está agora lendo com exclusividade.

"Não tenho culpa se não tinha nenhuma medalhinha brasileira. Não fui eu quem me enterrei, pois, pois."

Tive que tomar muito vinho tinto Pera-Manca com o Chalaça, português, sete anos mais velho que Pedro, amigo, assessor de imprensa e, dizem, proxeneta, cáften, rufião. Depois de quase três meses de Pera-Manca, D. Pedro cedeu. Dois assuntos não poderiam surgir na conversa: suas constantes gonorreias e a veracidade ou não da crise de disenteria (síndrome infecciosa caracterizada pela eliminação de matéria fecal com muco e sangue acompanhada de cólica intestinal, segundo os dicionaristas de plantão) justamente na hora da proclamação da independência brasileira, às margens plácidas do Ipiranga, na moita.

Isso posto, nos encontramos. Não é bonito nem feio. Tem cara de antigo. Muito simpático, bem constituído, cabelos pretos e anelados, nariz aquilino, olhos pretos e brilhantes, como eu já havia lido nos compêndios. Grosseiro e sedutor ao mesmo tempo. Mal-educado, de vez em quando. E, o que mais me surpreendeu, contra a escravatura: "Eu sei que o meu sangue é da mesma cor que o dos negros." Não é um homem muito alto, como o seu filho D. Pedro II, que tinha um metro e noventa de altura. Uma leve, bem leve, barriguinha.

A entrevista foi num bar em Portugal, no Bairro Alto, em Lisboa, chamado Pavilhão Chinez (assim mesmo, com z), sugerido pelo Chalaça. Pedimos caipirinha (com pouco açúcar) e começamos pelo começo. E comendo tremoços.

— O senhor não acha o seu nome, Pedro de Alcântara Francisco António João Carlos Xavier de Paula Miguel Rafael Joaquim José Gonzaga Pascoal Cipriano Serafim de Bragança e Bourbon, meio gay?

D. Pedro não entende. Ou faz que não entendeu. Olha para o Chalaça, que entorta o lábio inferior como se também não tivesse entendido.

— Gay, alegre, jovial, em inglês? Não estou a perceber, pá! Alegre, feliz?

Fico surpreso com o fato de ele falar inglês. O gay que ele falou era com pronúncia de Londres.

— O senhor fala inglês?

— Ora, pois. Inglês, francês, espanhol e italiano! Como é que o senhor acha que eu falava com a minha mulher, a Dina, que era austríaca? Em turco? E a segunda, italiana, a Memeia? Em chinês? Aquele negócio que o senhor falou, de gay, ainda não estou a perceber.

— Esquece, esquece, foi apenas uma brincadeira.

— O senhor não está a insinuar algo a ver com paneleiros, pois não?

— Vamos em frente. Como foi a história do Hino da Independência que o senhor compôs e parece que teve um processo por plágio? O senhor proclamou a nossa independência com 23 anos. E fez o hino com 24. Precoce, o senhor. Como foi o processo por plágio?

— Não foi bem assim, meu senhor! Vamos esclarecer. Houve uma ameaça de processo de plágio por parte do Vavá, mas tudo foi resolvido de maneira civilizada.

— Vavá?

— Evaristo da Veiga, o autor da letra. [Cantarola um pedacinho] "Já podeis da Pátria filhos ver contente a mãe gentil. Já raiou a liberdade no horizonte do Brasil." O que aconteceu foi que o Evaristo fez a letra com uma música muito da ruim. Então eu fiz outra música. Ele concordou. O problema foi que a mídia não citava o nome dele. Sempre só o meu. Aí ele se irritou. Foi tudo resolvido. Não chegou a ir aos tribunais.

— De quem o senhor herdou o dom musical? E tem outras músicas?

— Vovó, que vós, no Brasil, chamam maldosamente de D. Maria I, a Louca, mo ensinou. Era musicalmente muito lúcida. Me ensinou a tocar piano quando eu tinha 10 anos. Logo que chegamos ao Brasil, em 1810, 1811, por aí. Ela tocava as fugas de Bach como ninguém. Tanto que dei à minha filha o nome de D. Maria II. Não me lembro bem, mas acho que ela também tocava pistão.

— Não seria trombone?

— Isto!

— Eu estava perguntando se o senhor tem mais músicas além do Hino da Independência.

— Sim, tenho várias músicas. Se quiser posso cantar algumas. Tem um pianinho aí, Chalaça?

Chalaça dá três tapinhas nas costas dele. E recomenda:

— Melhor não, alteza. Melhor não. Não é o local. A cachaça...

— Eu quero cantar, raios!

— Depois, depois.

Pelo olhar que o Chalaça me deu, entendi que não deviam ser lá das melhores.

— Tem o "Samba do Fico"! Vou cantar o "Samba do Fico". É um samba de breque. Me arruma um atabaque.

"Diga ao povo
Diga ao povo
Que eu fico
Que eu fico
Diga que, diga que, diga que
Eu fico."

— Aí vem a parte com o breque:

"Se é para a felicidade geral da nação (breque),
diga ao povo que eu, que eu fico.
Vou embora não, vou embora não."

Ele foi se entusiasmando.

— Mais tarde, mais tarde, Imperador. Aqui em Lisboa, ali no Rossio, praça também conhecida como Dom Pedro IV, que era como o senhor se chama por aqui, tem uma imensa estátua do senhor, em cima de um obelisco de uns trinta metros.

— Sim, pois. A receber merdas dos pombos!

— Fique tranquilo porque descobriram que a estátua não é do senhor. Seria de Maximiliano, do México. Conta a lenda que um navio naufragou no Tejo e acharam a estátua. Estavam fazendo a praça, construíram um obelisco bem alto, colocaram lá em cima e embaixo escreveram seu nome.

— Estás a brincar! É melhor deixar de fazer aldrabices comigo, pois encerro logo esta conferência de imprensa! Pede outra, Chalaça, com menos açúcar. Mas eu queria terminar o "Samba do Fico"...

— Exatamente! Encerramos! Mude de assunto. E o senhor está muito mal informado. Vários historiadores já confirmaram que se trata mesmo de Pedro IV, seu vivaldino! — acrescenta Chalaça e grita para o garçom: — Shifaizfavoire! Pouco açúcar, viu?

E D. Pedro acrescenta:

— E saiba o senhor que o Maximiliano vem a ser meu primo por parte de mamãe, D. Carlota!

Ele está ficando meio bêbado, mudando de assunto a toda hora. Resolvo falar da Marquesa.

— Procede a informação de que a D. Domitila, a Marquesa de Santos, nunca foi a Santos?

— Chalaça, não estava combinado que não se falaria da Titília e nas gonorreias e... em que porra de livro o senhor está a trabalhar? *Cinquenta tons de gonorreia*? Como diz a minha segunda esposa: *Che cazzo*! E cadê as caipirinhas, Chalaça, cadê as caipirinhas?! E não me venha com caipirinha de grapa! Quero de cachaça! E, se possível, cachaça das Minas Gerais!

Ele vai acabar batendo no Chalaça, que sai atrás do garçom.

— Senhor Imperador, só uma coisinha: a sua primeira esposa, D. Caroline Josepha Leopoldine Franziska Ferdinanda von Habsburg-Lothringen [que, não sei se sabe, virou cidade na Zona da Mata, em Minas, de onde vem esta cachaça] era sobrinha-neta da rainha Maria Antonieta, não é?

Chalaça volta com uma garrafa de cachaça na mão:

— O que tem o cu a ver com as calças, meu jovem?

— Calma, Chalaça! Sim, era sobrinha. O que tu queres saber? E tu, Chalaça, não vais tomar essa porra pura.

— Estou a me apoquentar! As caipirinhas estão chegando — responde Chalaça, tão de pilequinho quanto o Imperador.

— É que a cabeça da D. Maria Antonieta rolou na França. E a da rainha Leopoldina rolou pela escada. O senhor a empurrou mesmo? Lá na quinta da Boa Vista.

— Vamos embora, senhor! — exclama Chalaça.

— Quem é o dono desta editora, Chalaça? Olha aqui, rapazinho. Na exumação ficou muito claro que ela não tinha nenhum fêmur quebrado. E morreu de tuberculose. Saiu até no *Fantástico*. E saiba que ela foi muito importante para que eu tornasse o teu país independente. Perdão, o nosso país.

— Por falar em independência, o boato...

— Estás vendo, Chalaça, rodeia, rodeia igual mosca de merda. Queres saber das minhas defecações às margens plácidas. Queres saber? Obrei mesmo! E daí? Tu nunca obraste, por acaso?

Chalaça tira a garrafa da mão do Imperador.

— Vamos parar de beber, Pedro! Pura, não.

— Antes, durante ou depois do "Independência ou Morte"? O senhor gritou antes, durante ou depois da imperial defecada?

— Jamais disse esta frase na beira daquele riozinho. Foi de noite, depois do jantar, que falei a frase que entrou para a história.

— O senhor não me respondeu. Foi antes ou depois?

— Nada a declarar. Antes que passemos para a terceira garrafa, Chalacinha, tenho a declarar o seguinte. [Tira um pedaço de papel impresso do bolso e começa a ler.] Citando a cândida Isabel Lustosa. É isto aqui o que importa, meu jovem: "Dom Pedro I não acreditava em diferenças raciais e muito menos em uma presumível inferioridade do negro, como era comum à época e perduraria até o final da Segunda Guerra Mundial (1939-1945). Era também completamente contrário à escravidão e pretendia debater com os deputados da Assembleia Constituinte um jeito de acabar com ela."

— Quanto a isso, senhor Imperador, fique tranquilo, porque sua neta, a princesa Isabel, aboliu a escravatura em 1888.

— Soube, soube. Isabel, a filha do Pedrinho. Como ficou velhinho o meu filho. Aquela barba... Parecia meu avô, não é mesmo? Eu o deixei aqui menino, deste tamanho. Nunca mais o vi. [Emociona-se, começa a chorar.] Tão pequeninho, foi ficando velho. Olho as fotos e não acredito que aquele seja o meu Pedrinho.

Chora mais, dá um gole. Chalaça o ajuda a se levantar. Chora de soluçar. Vão saindo.

— Como é que o meu filho pôde virar aquele velhinho? E alto, altíssimo. Eu não entendo, Chalaça. Não entendo. — Vira-se para trás, me aponta o dedo, em riste: — A Marquesa de Santos, meu filho, a Domitila, a Titília, carregou aquele velhinho no colo!

Fez carinho nos cabelos loiros e encaracolados dele. Ele ficava olhando para ela, para aquela mulher linda, com aqueles pequenos olhos azuis e austríacos. — Chora mais. — E foi ficando velhinho... E eu nunca soube como era a cara do meu filho quando ele tinha a minha idade. Vi pequeno e velhinho. Tu tens alguma foto, algum retrato dele, que não seja daquele velhinho? Será que aquele velhinho era mesmo o meu filho, Chalaça? A gente precisa parar de beber essas maravilhas das Minas Gerais...

E foram saindo do Pavilhão Chinez. Abrem a porta, e ouço o barulho dos bondes nos trilhos. E a chuva. E a voz do Chalaça:

— Táxi!

Todos os filhos de D. Pedro I

Com a Imperatriz Leopoldina:
Maria, 1819
Miguel, 1820
João Carlos, 1821
Januária Maria, 1822
Paula Mariana, 1823
Francisca, 1824
Pedro (futuro D. Pedro II), 1825

Com a Imperatriz Amélia:
Maria Amélia, 1831

Com a Marquesa de Santos:
um menino natimorto, 1823
Isabel Maria, 1824

Pedro, 1825
Maria Isabel, 1827
Maria Isabel II, 1830

Com a francesa Noémi Thierry:
Pedro, 1823
uma menina que logo faleceu, 1825

Com Maria Benedita de Castro Canto e Melo, irmã da Marquesa de Santos (sim, senhor!):
Rodrigo, 1823
menina natimorta, 1824

Com a amante francesa Clémence Saisset:
Pedro, 1829

Com a monja portuguesa Ana Augusta:
Pedro, data incerta

Notas:

* Dom Pedro I teve cinco filhos chamados Pedro.
* Em 1823, teve quatro filhos:
Paula Mariana, com Leopoldina
um natimorto, com a Marquesa de Santos
Pedro, com Noémi Thierry
Rodrigo, com Maria Benedita, irmã da Marquesa. Aqui ele extrapolou: teve dois filhos, no mesmo ano, com duas irmãs.

MARIA QUITÉRIA
OU CADETE MEDEIROS?

* FEIRA DE SANTANA, BA, BRASIL, 27 DE JULHO DE 1792

† SALVADOR, BA, BRASIL, 21 DE AGOSTO DE 1853

Encontrei-me com Maria Quitéria em Salvador, onde passou os últimos anos de sua vida, num total anonimato, quase cega, com 60 anos. Ela morreria aos 61, 31 anos após se tornar uma espécie de Joana d'Arc brasileira, defendendo o imperador D. Pedro I, empunhando espada, cavalgando pelos sertões baianos. Durante quase dois anos esteve no campo de batalha. Dizem que cavalgava melhor que qualquer homem. Antes que alguém pense bobagem, veja o que dela escreveu a historiadora inglesa Maria Graham em seu livro *Journal of a Voyage to Brazil*:

"Maria Quitéria de Jesus é iletrada, mas viva. Tem inteligência clara e percepção aguda. Penso que, se a educassem, ela se tornaria uma personalidade notável. Nada se observa de masculino nos seus modos, antes os possui gentis e amáveis."

Um decreto do presidente da República Fernando Henrique Cardoso, de 28 de junho de 1996, a reconheceu como patrono do Quadro Complementar de Oficiais do Exército Brasileiro. E, por isso, seu retrato encontra-se em todos os quartéis, estabelecimentos e repartições militares do Brasil. Com direito a cabelos curtos e saiotinho.

— Dona Maria Quitéria ou cadete Medeiros?

— Não me chamando de rua Maria Quitéria, em Ipanema, já está bom. Sou as duas pessoas numa só. Tanto Maria Quitéria como cadete Medeiros. Prefiro que me chame de Quitéria, apenas. Aqui ninguém sabe quem eu fui. Já se passaram muitos anos, meu filho. Estou quase cega, esperando meu enterro passar.

— Na época, os soldados não mexiam com a senhora por ser a única mulher no destacamento?

— O senhor está querendo saber se me chamavam de lésbica? Aliás, o senhor sabe como os paulistas chamavam os portugueses na época da Independência? Sapatão. Eu não sei ler, minha filha disse que está no *Aurélio*. Pode pesquisar.

— Muito interessante. Então os portugueses eram todos sapatões?

— Não é engraçado? Os portugueses e as portuguesas, provavelmente.

— A senhora não respondeu à minha pergunta, D. Quitéria.

— Tu vieste lá do Sul para me entrevistar e fazer uma pergunta idiota como essa? Tive uma vida muito superior a esse detalhe. Modéstia à parte, sou heroína nacional. Se o nível da entrevista for esse, o senhor pode se retirar, que eu me recolho para a minha filha continuar a leitura do Marquês de Sade. Já leu? Muito sacana.

— Então eu peço as minhas desculpas. Vamos lá: como foi que tudo começou?

— Em 1822, eu morava em Feira de Santana, interior da Bahia, estava com 30 anos e noiva de um lavrador, o Gabriel. Minha mãe havia morrido quando eu tinha uns 10 anos. Meu pai se casou de novo e a nova mulher morreu. Casou pela terceira vez com uma megera chamada Maria Rosa, que me odiava.

— Por que te odiava?

— Em primeiro lugar, porque eu era independente. Não dava a menor bola para ela. Não me interessei em aprender a ler e a escrever. Em compensação, era excelente em montaria, caça e atirava melhor que qualquer homem. A vida em casa tava um inferno com a dona Maria Rosa mandando em todo mundo, inclusive no meu pai, que tinha medo de apanhar dela. Meu noivo era outro ignorantão. Como se diz hoje em dia, eu estava sem perspectivas, entende?

— Aí resolveu virar homem.

— O senhor me respeite! Nunca deixei de ser mulher. Já chego lá. Depois que D. Pedro proclamou a Independência do Brasil, surgiram vários movimentos de sapatões, portugueses, né?, que eram contra. Em alguns estados o pau comeu mesmo. Na Bahia, procuravam voluntários para enfrentar os sapatões. Meu pai, velho, não se interessou. Durante a janta eu ouvi aquele papo de "se alistar". E perguntei ao meu pai se mulher podia. Ele nem me respondeu verbalmente, só lançou um olhar violentíssimo. A mulher dele balançou a cabeça como quem diz: "É doida!"

— Podia ou não se alistar mulher?

— Claro que não. Nem no Exército português nem no brasileiro, que estava começando a se formar. Fugi!

— Fugiu? Fugiu de casa? Do seu noivo e tudo?

— Nem me despedi do Gabriel. Fugi a cavalo e fui para a casa da minha meia-irmã, a Teresa, casada com o meu cunhado Zé Cordeiro.

— E eles aceitaram a tua ideia?

— Minha irmã cortou o meu cabelo. Fiquei quase careca. Me

vesti com umas roupas do Zé Cordeiro, fui lá e me alistei com o nome de Medeiros no Regimento de Artilharia. Já disse que atirava bem, né? Fiz uns testes, não errei um.

— E de onde tirou o Medeiros?

— Meu cunhado: José Cordeiro de Medeiros. Me alistei com a certidão de nascimento dele.

— E aí partiu pra luta?

— Quase. Duas semanas depois, a gente ali em treinamento...

— Um momento. Você dormia com os homens, tomava banho com eles, como era?

— Bem, banho, naquela época, não era como hoje, todo dia. Era mais ou menos um por mês. Eu nem havia tomado o meu primeiro banho quando, duas semanas depois da minha fugida, meu pai me aparece no quartel e faz um puta dum esporro.

— Todo mundo ficou sabendo que você era mulher?

— Claro, o comandante do Batalhão dos Voluntários do Imperador, major José Antônio da Silva Castro (que 25 anos depois teria um neto chamado Antônio Frederico de Castro Alves), depois de ficar assustado por eu ser mulher, disse ao meu pai que eu manejava as armas como ninguém e que o Império e o Brasil precisavam de braços como os meus. Sem contar a minha disciplina. Disse tudo isso para o meu pai. Meu pai foi embora sem nem me dar um olhar. Aquilo doeu.

— E os soldados? Como reagiram quando descobriram que o Medeiros era a Maria?

— Muito bem. Logo conquistei o respeito de todos. Aí outras mulheres se alistaram. Foi um barato. Eu inventei um saiote para nós, azul e dourado, uma graça.

— E aí você virou a chefa das meninas.

— Exatamente. Dizem, não sei se é verdade, que, quando começou o movimento feminista no Brasil mais de cem anos depois, eu fui muito citada. É verdade?

— Não apenas é verdade como um dos motivos da minha entrevista é esse. O que a senhora acha do feminismo? A senhora foi uma feminista!

— Então eu não preciso responder. Se fui, o que tu achas que eu acho? Que pergunta mais idiota, se me permites.

— E do relacionamento entre pessoas do mesmo sexo?

— Meu filho, no século que eu vivi, o XIX, isso já era normal. Parece que estão discutindo isso no Brasil até hoje, né? Esse povo não aprende.

— Está bem. Voltemos então para as suas guerras. Chegou a matar alguém? Atirou em alguém para matar?

— O senhor vai me desculpar, pois devia saber que nenhum soldado pode responder a este tipo de pergunta. Pergunte para alguém que foi lutar no Vietnã, e veja se ele responde. O senhor é um péssimo entrevistador. Uma vez, eu, sozinha, fiz vários prisioneiros portugueses e os escoltei até o acampamento. Isso foi no combate de Pituba, em fevereiro de 23.

— Me disseram que foram só dois portugueses.

— Quem "disseram"? Quem prendeu fui eu. Foram vários, muitos. Sozinha.

— Cinco?

— Vários

— Seis?

— Sete, e não se fala mais nisso.

— Ok. E, depois da guerra, o que a senhora fez?

— Tu vais dizer que não sabia, mas o Imperador me chamou

ao Rio de Janeiro.

— Sabia. Copiei o texto.

— Então, podes ler aí, porque eu continuo analfabeta.

— "No dia 20 de agosto foi recebida no Rio de Janeiro pelo Imperador em pessoa, que a condecorou com a Imperial Ordem do Cruzeiro, no grau de Cavaleiro, com o seguinte pronunciamento: Querendo conceder a D. Maria Quitéria de Jesus o distintivo que assinala os Serviços Militares com denodo raro, entre as mais do seu sexo, prestara à Causa da Independência deste Império, na porfiosa restauração da Capital da Bahia, hei de permitir-lhe o uso da insígnia de Cavaleiro da Ordem Imperial do Cruzeiro."

— Me desculpe a ignorância. O que significa denodo?

— No caso, ousadia, intrepidez, valor, coragem, bravura, destemor... Segundo o mestre *Aurélio*.

— Nossa! Acho que o Imperador exagerou...

— Prossiga denodadamente.

Rs.

— E neste mesmo dia fui promovida de soldado raso a alferes. Aproveitei e, já que estava ali, naquela intimidade toda... o danado me deu uma cantada deslavada, acredita?

— Claro que acredito.

— Então, já que estava ali, toda íntima, pedi que ele escrevesse uma carta pedindo ao meu pai que me perdoasse. Em troca de uns beijinhos ele escreveu a carta.

— Só beijinhos?

— Porra, começou me perguntando se eu era sapatão, agora quer saber se eu dei para o Imperador? O cara tinha gonorreia, todo mundo sabia.

— E seu pai te perdoou?

— Perdoou, e eu me casei com o Gabriel, lembra?, o antigo namorado. Tivemos uma filhinha linda, chamada Luisa Maria, e quando ele morreu vim com ela aqui para Salvador. Não parece um filme a minha vida? Ou uma série da Globo? Fala com os homens, fala!

A INSACIÁVEL
MARQUESA DE SANTOS
E DE TODOS NÓS

* SÃO PAULO, SP, BRASIL, 27 DE DEZEMBRO DE 1797 † SÃO PAULO, SP, BRASIL, 3 DE NOVEMBRO DE 1867

"Certo pendor para a gordura, três partos, cicatrizes, um rosto fino e comprido, aceso pelo olhar moreno. Domitila, mãe de três filhos e acusada de adultério, foi esfaqueada pelo marido quando voltava às escondidas para casa. Toda a cidade conhecia as escapadelas da futura marquesa. A fama envergonhava sua família." É assim que a talentosa escritora e historiadora Mary del Priore descreve a nossa mais famosa amante antes de, aos 25 anos, conhecer D. Pedro I, em 1822, antes ainda de se tornar a Marquesa de Santos e antes de ter cinco filhos com o Imperador.

Tinha seios fartos e quadris volumosos, o que, parece, agradava a Pedro.

Para usar uma expressão do século XX, ela era levada da breca. Talvez um certo furor uterino, talvez uma tendência para o banditismo: tentou dar um tiro na própria irmã, Maria Benedita, quando soube que o amante não só andava tendo um caso com ela, a dita Benedita, como também a engravidara. Em tempo, a irmã também era casada. Revista *Caras* dos anos 1820!

Consegui entrevistar Domitila de Castro Canto e Melo quando ela estava para morrer, já com 69 anos. O encontro se deu no Museu da Cidade de São Paulo, sua casa no século XIX. Faleceu ali de enterocolite, "uma inflamação do intestino que está me levando à loucura".

— É isso, meu jovem, estou aqui sentada, olhando pra chuva quando chove. Gosto de ver chuva. Pena que não ouço mais os trovões. Minha vida hoje são cólicas, diarreia, vômitos, mal-estar e febre. Não merecia isso. Fiz muito por este país. Pedro discutia vários decretos comigo. Coloquei na cabeça dele o assunto dos escravos.

— Me disseram que a senhora hoje é devota e caridosa.

— Sim, procuro socorrer os desamparados, protejo os miseráveis e famintos, cuido de doentes e dos estudantes ali da Faculdade de Direito do largo de São Francisco. Minha casa é o centro da sociedade paulistana. Dou muitos bailes de máscaras e saraus literários, apesar desta desgraceira de doença que me corrói por dentro.

— A senhora se arrepende da vida devassa que levou?

— Devassa na sua opinião, biltre! Uma mulher que teve e criou treze (treze!) filhos não pode ser devassa, caceta! Se está se referindo ao Imperador, só lhe dei alegrias.

— E algumas gonorreias.

Ela se levanta, vai até uma porta, bate palmas, chegam dois escravos tipo leão de chácara. Não fala nada. Os dois ficam na porta me encarando.

— Prossiga, jovem. E gonorreia é a puta que te pariu!

— Onde, quando e como a senhora conheceu o Imperador?

— Meu filho, o Imperador havia se casado com aquela austríaca branquicela aos 19 anos. Ela era quase dois anos mais velha do

que ele e estava encalhada lá na Europa. Trouxe vários cientistas, botânicos e pintores. Gente chata, falando línguas esquisitas. O Pedro não suportava aquela turma. Mesmo assim, fazia um filho por ano com ela. Quando ela chegou, foi o maior mal-estar na corte. Era feia. Pode ver os retratos dela. Portanto, quando eu conheci o Imperador, ele estava de saco cheio com a casa dele.

— Foi seu primeiro amante? A facada que o seu marido...

Ela levanta a mão, os dois negros se aproximam. Ela faz sinal para que fiquem a dois metros de mim.

— Foi bom tu citares o meu primeiro marido. O Felício era milico, violento, e realmente me espancava e violentava. Portanto, era o Pedro insatisfeito com o casamento dele, e eu com o meu. Tanto é que, depois de dois anos de relacionamento com o Pedro, me divorciei. Em 1824.

— E a história de que a senhora quis matar a sua irmã, a D. Maria Benedita?

— E não era pra matar? Eu comecei a desconfiar quando o Pedro começou a dar empregos e títulos aos parentes do marido dela. Ninguém percebia, mas eu estava ligada. Quando nasceu o filho dela, eu matei a charada. Tinha aquele lábio inferior virado pra baixo, igualzinho ao do Pedro. É mentira que eu dei um tiro nela. Apenas ameacei educadamente com o revólver do marido dela. Ela confessou. Aí dei umas coronhadas nela. Sempre tratei muito bem o menino dela com o Pedro. Chamava-se Rodrigo. A cara do pai...

— A senhora foi amante do Imperador até ele se mudar para Portugal?

— O problema é que, quando a branquela austríaca morreu, era de bom alvitre (gostaste do alvitre?) que ele se casasse com outra nobre europeia. Isso em 1826. Nós já estávamos juntos havia 4 anos e tínhamos quatro filhos vivos.

— Em 1826 o Imperador tinha 28 anos. E, pelas minhas contas aqui, já tinha 14 filhos!

— Sim, 11 deles vivos. Eu estava falando do segundo casamento dele. Já em 1826 ele mandou o Marquês de Barbacena à Europa para arrumar uma segunda esposa para ele. E impôs quatro condições: bom nascimento, bela, virtuosa e culta. Nem todas as princesas disponíveis tinham todas as virtudes. Além disso, a fama dele já corria as cortes europeias. Todo mundo sabia que ele tinha uma amante fixa com filhos. Fora as outras amantes. E filhos.

— As notícias corriam fácil. A cavalo!

— Como?

— Prossiga, por favor.

— O que eu estava falando mesmo? Minha cabeça anda falhando muito.

— A cabeça de todo mundo anda falhando, Marquesa. Todo mundo anda esquecendo. A senhora estava falando do Marquês de Barbacena procurando uma princesa para o Imperador.

— Isso. Obrigada. Pois então. Ele enfrentou a recusa de oito (oito!) princesas. Virou motivo de pilhéria nas cortes europeias. Aí, diminuiu as exigências e passou a procurar uma apenas bonita e virtuosa. E arranjou uma princesa de linhagem meia-bomba, porém linda. Pedro mandou o Marquês de Resende para confirmar a beleza da moça. A filha da puta, "culta e sensível", fez colocar no contrato de casamento que eu tinha que sumir do mapa, sob pena de anulação do casamento. E eu sumi.

— Mesmo?

— A filha da puta, além de bonita e gostosa, tinha 17 anos. Pedro, 30.

— E a senhora sumiu mesmo?

Ela olha para os dois leões de chácara.

— Por favor, acompanhem o jornalista.

— Só mais uma perguntinha. A senhora disse, no começo da entrevista, que cuidava dos estudantes da Faculdade de Direito do largo de São Francisco. Como assim?

Ela sorri, faz sinal para os dois negros saírem. Me pega pela mão e me leva por um corredor imenso. No fundo, do lado direito, seu quarto, imenso e luxuoso. Entra, tranca a porta. Vai até uma mesinha, me serve uma bebida com a cor do uísque (experimentei, era uísque).

— Eu vou te mostrar como eu cuidava dos estudantes.

— Minha senhora...

Ela pega um revólver.

— Tava de olho em vosmecê desde que adentraste.

DONA BEJA

E SUA GENITÁLIA VIBRÁTIL, CONTRÁCTIL, SUCÇANTE, ASPIRANTE, ENVOLVENTE E DEGLUTANTE

* FORMIGA, MG, BRASIL, 2 DE JANEIRO DE 1800

† ESTRELA DO SUL, MG, BRASIL, 20 DE DEZEMBRO DE 1873

Em 1853, Bagagem (hoje Estrela do Sul) ainda era um distrito quando dona Beja, aos 53 anos, chegou para viver seus últimos vinte anos. Não ficava muito longe de Araxá, onde aquela senhora fez seu nome nos bons tempos.

Foi num bar chamado Cu do Padre — na verdade um boteco, um sujinho — onde me encontrei com ela. Para quem esperava uma espécie de Maitê Proença, o choque foi grande. E ela percebeu, já passada dos 70 anos de sua turbulenta vida.

— Fiz questão que me conhecesse com esta idade, com esses trajes, essas rugas e a boca quase sem dentes. E saiba que nunca cheguei aos pés da Maitê Proença, que me imortalizou na Rede Manchete, e muito menos fui aquela heroína sexual do romance do Agripa Vasconcelos. Está muito decepcionado?

— A senhora ainda é uma mulher muito bonita.

— Não precisa ser tão educado assim. Sei dos meus limites.

Ela pega uma garrafa de cachaça que leva seu nome: Dona Beja. Me serve. E dá uma golada no gargalo. Chega um garçom com pastéis.

— Dei pra beber depois de velha. Imagine, já bisavó... O que é que o moço quer saber?

— A verdade, minha senhora.

— Não comece com esse negócio de minha senhora pra cá, vosmecê pra lá. É Beja, e não se fala mais nisso. E, se quer saber, achei muito oportuna esta entrevista. Desde que me mandei do Araxá, a mídia nunca mais me procurou...

— A senhora não nasceu no Araxá...

— Nasci em Formiga, aqui mesmo, em Minas. Em 1800. Com 35 anos, tive a felicidade de ver o cometa Halley, um dos momentos mais bonitos da minha vida. Eu estava no auge. Foi um acontecimento inesquecível. Me lembra de falar dele depois. Se te interessar, é claro.

— Você disse que estava no auge. No auge do quê?

— Da felicidade. Havia nascido a minha primeira neta. Ou bisneta? Claro, neta! Cabeça a minha!

— A senhora foi avó com 35 anos?

— Se eu estou dizendo... Isso nunca saiu em nenhum lugar... Só falam merda da minha vida. Talvez porque eu tenha recebido merda daquela puta da Siá Boa.

— Como? Quem é Siá Boa?

— Uma invejosa. Como todas as mulheres casadas do Araxá. Me mandou um presente, eu abri, era um monte de merda. Mole, ainda por cima. Aí eu mandei uma bandeja de prata francesa com um recado escrito pela minha filha: "Cada um dá o que tem."

Dá outro gole no gargalo.

— Por que foi a sua filha quem escreveu?

— Sou analfabeta, meu querido. Não se preparou para a entrevista?

— Por falar nisso, aquele farmacêutico do Araxá, que foi a primeira pessoa a escrever sobre a senhora, disse que a sua vulva...

— A minha o quê?

— Perdão, genitália.

— O quê? Ah, entendi! Escreveu lá que a minha xoxota era vibrátil, contráctil, succçante, aspirante, envolvente e deglutante. Foi aquele farmacêutico filho da puta, o Afonseca!

— Procede?

— Meu amigo, quando eu saí do Araxá, esse cara, o da farmácia, não tinha nem nascido. Tradição oral, sabe? Ele ouviu umas histórias a meu respeito e rascunhou umas vinte páginas. Como é que ele ou qualquer outro poderia dizer, escrever uma bobagem dessas? Minha xoxota é igual a qualquer xoxota do mundo. Succçante! Deglutante! Pelo amor de Deus... Esse cara tirou isso de algum livro de sacanagem da Roma Antiga. Imagina! E depois veio aquele historiador, bom por sinal, o Agripa Vasconcelos, e escreveu o romance dele. Isso já no século XX. Depois veio aquele costureiro, Clodovil, né?, respondendo sobre a minha vida, na Globo, a novela do seu Adolfo Bloch, na Manchete... Tudo mentira, meu amigo. Tudo! Disseram que eu tive filha até com padre, rapaz! Era um santo o padre Aranha, mas filha, não.

— A senhora não era então... cortesã?

— Puta, tu queres dizer?

— É...

— Médio... Bem médio mesmo. Transei com dois homens casados e um padre, na minha vida no Araxá. Para aquele tempo isso era demais. Tive uma filha com cada um dos casados. Só isso. Com o padre, não, já disse. Ele cuspia fora.

— Como?

— Cuspia fora, uai. É tão difícil assim de entender, meu Deus? Disseram até que eu mandei matar um dos dois amantes casados por questão de pagamento de pensão. Não vou te dizer que era santa, mas também não era assim.

— E o lado político? Dizem que foi a senhora quem pediu ao D. Pedro II para anexar o Triângulo Mineiro a Minas Gerais.

— Nunca vi o Imperador! Imagina! As fofocas, as pessoas dizerem que eu era cortesã é porque amei dois homens casados. Vou fazer o quê? Gostei, uai. E cada um me deu uma filha. Teresa e Joana. A Joana vem a ser filha do doutor João Carneiro de Mendonça, que, por sua vez, é tio-bisavô de um grande catedrático de literatura da USP.

— Vamos desde o começo. Por que inventaram tantas histórias a seu respeito? Por que virou um mito?

— Fui um mito inventado, criado, com marketing e tudo. Uma irresponsável mentira. No século XX, quando o jogo era liberado no Brasil, resolveram construir um grande hotel lá no Araxá, com um belíssimo cassino. E tiveram a ideia de inventar a minha história e dizer que eu tomava banhos naqueles barros, e que por isso eu era bonita como a Maitê e tinha olhos azuis e coisa e loira. Pele boa por causa da água sulfurosa, sabe? Pegaram aquelas vinte páginas manuscritas do Afonseca e foram procurar um cara para escrever um romance. Soube que pediram primeiro para o Marques Rebelo escrever, e ele não quis ou não pôde, não sei por quê. Acho que ele não era de escrever livros institucionais. O Agripa Vasconcelos topou. Já tinha escrito sobre o Chico Rei. Já ouviu falar? Deve dar uma boa entrevista. O Agripa deve ter ganhado uma bela grana do pessoal que construiu o hotel-cassino, o que é normal. Eram paulistas. Dizem que pagavam em libras.

— Marketing puro!

— Puríssimo! Só faltou dizerem que fui prefeita da cidade e que tinha dinheiro nas ilhas Caimã. Vamos passar para uma cerveja agora. Tem um porquinho à pururuca aqui que é de estalar. Quer?

Ela chama o garçom e faz a encomenda.

— A editora tá pagando, né? O leitão.

— Pode deixar. A senhora confirma que só teve relações sexuais com dois homens?

Ela pensa um pouco, sorri.

— Casados, sim. Eu estava falando das minhas filhas. A Teresa se casou aos 14 anos com o Joaquim Ribeiro da Silva, fazendeiro abastado e de ilustre família radicada perto do Araxá. Teve uma filha, a minha neta, aquela que nasceu quando eu tinha 35 anos e que se casou com o líder local do Partido Liberal, o coronel Fortunato Botelho, fazendeiro abastado. Joana Mendonça se casou com um belo moço, espirituoso, chamado Clementino de Almeida Borges, dos Borges de Uberaba, e foi morar numa fazenda. Era muito piosa, frequentadora da igreja e futura presidente da Irmandade do Sagrado Coração de Jesus. Essa era a minha família, garoto. E tu a querer saber se eu era mulher da vida... Sou muito família!

— Meus parabéns! E essa história de só ter dois homens?

— Meu filho, depois que as duas meninas se casaram e começaram a me dar netos, eu me mudei aqui para Bagagem, que hoje se chama Estrela do Sul. E foi aqui, já com 53 anos, e sem ninguém saber quem eu era, que rodei a baiana. Isso ninguém nunca soube. Naquela época, aqui tinha uma guarnição da Guarda Nacional do Imperador. Aqueles soldadinhos todos. Pena que não tivesse um Agripa Vasconcelos pra registrar tudo. Aqui, sim, a perereca ficou vibrátil, deglutante, aspirante e etecétera.

— Está feliz?

— Em primeiro lugar quero dizer que me aposentei. Não faço mais essas farras. Um dia recebi a visita do seu Adolfo Bloch, que me trouxe todos os capítulos da novela. Eu fico assistindo. Já vi inteira umas vinte vezes. Choro muito. Podia te dizer que fui tudo aquilo, que tive aquela beleza, aquele dinheiro todo, aquele poder. Estaria mentindo. Não fui nem bonita. Era uma mocinha analfabeta com algum dinheiro no bolso, uma queda por homens casados e adorava música sertaneja. Me transformaram numa diva, numa deusa, na mulher mais bonita do Brasil. Minha vida deu uns livros e uma novela. Acho que sou feliz com isso. Assistir uma vida passar diante de mim, sabendo que não era bem assim, sorrindo a cada momento, chorando quando necessário. E quero aproveitar para agradecer à Maitê Proença por ter me feito com tanto carinho, dedicação e amor.

Chega o leitão à pururuca.

— Olha que beleza! É agora que a gente vai comer até o cu fazer bico! Ainda existe essa expressão?

Enche os copos de cerveja.

— Saúde. A senhora disse que ia falar da passagem do Halley em 1835.

— Que Halley?

— O cometa.

— Cometa? Eu falei em cometa? Tou tão esquecida, meu filho. Cometa Halley? É um ônibus?

Ela fica pensativa.

— Sabe do que eu me lembrei agora? Quem começou a me

inventar foi aquele farmacêutico, o Afonseca, lembra? Aí fui usada para a criação do cassino. Depois o filho do Afonseca, que era o D. José Gaspar (que hoje é praça em São Paulo, onde fica a biblioteca), pois o D. José Gaspar era confessor da esposa do Dutra, que era o presidente do Brasil e foi quem proibiu o jogo e os cassinos. Dizem que o D. José Gaspar fez a cabeça dela, e ela fez a cabeça do presidente. O clero era contra o jogo! Entendeu?

— O quê?

— O pai, o Afonseca, me inventou, eu fui usada para divulgar o jogo, e o filho do Afonseca, o D. José Gaspar, acabou com o jogo fazendo a cabeça do Dutra. Entendeu agora?

— Entendi.

— Muito doido, né?

Longa pausa. Ela mastiga a pele pururuca.

— Meu sonho é colocar uma dentadura. É tudo que eu quero na vida. Sorrir bonito, gostoso, feito a Maitê Proença.

MADAME LYNCH

E O ANEL DE NAPOLEÃO

* CORK, IRLANDA, 6 DE MARÇO DE 1835 † PARIS, FRANÇA, 27 DE JULHO DE 1886

A entrevistada deste capítulo é irlandesa, fez nome no Paraguai e morreu em Paris, aos 51 anos, de câncer no estômago. E o que ela tem a ver com o Brasil? E que anel é esse de Napoleão Bonaparte no título?

Uma dica: a titulada madame teve sete filhos com o paraguaio Francisco Solano López entre 1855 e 1866. E, se fiz essa entrevista com ela, foi justamente por causa da Guerra do Paraguai, também conhecida como Guerra da Tríplice Aliança, mas que, segundo alguns, deveria se chamar Guerra da Inglaterra.

A irlandesa Elizabeth Alicia Lynch foi testemunha ocular da carnificina ocorrida no nosso vizinho país entre dezembro de 1864 e março de 1870. Estava em Cerro Corá quando seu marido foi executado por soldados brasileiros. Seu marido e seu filho mais velho, Panchito, de 15 anos.

Em 1886, foi enterrada em Paris, pobre. Em 1961, o governo paraguaio a considerou heroína nacional, e seus restos foram levados para o Museu Histórico do Ministério da Defesa, em Assunção.

— A senhora era mesmo uma cortesã, antes de se casar com Solano López?

— *Carajo! Mira, hijo...* Meu filho, papai era médico e protestante. Meu tio era vice-almirante da Marinha Britânica, o segundo homem do almirante Nelson na Batalha de Trafalgar. Já ouviu falar nessa batalha? Titio estava lá. Aos 15 anos me casei na paróquia de Folkesstone, no condado de Kent, com um francês militar e médico, e fomos morar na Argélia. Ele foi servir lá. Como eu podia ser cortesã, rapaz? Em que hora, onde? Foi a fama que ficou: Solano López, o tirano sanguinário, e a madame, *yo, mi persona*, puta. Aprenda a não levar a mídia muito a sério. Nem os livros didáticos. Principalmente os adotados durante regimes militares.

— Não pode ter vindo do nada essa história de a senhora, com todo o respeito, ser prostituta. Onde há fumaça...

— Olha aqui, pensei que o senhor fosse mais bem informado. Vamos lá: em 1852, com 17 anos, me separei do meu marido. Então, já morávamos de novo em Paris, onde ele estava trabalhando. Não nos divorciamos oficialmente porque o casamento havia sido feito na Grã-Bretanha. Nós frequentávamos a corte do Napoleão III, normalmente. Festas, recepções, bailes. Um ano depois, em 53, numa dessas ocasiões, conheci o Solano. Eu tinha 18 e ele, 26. Sabe quando dá liga de cara? Ele era filho do El Supremo do Paraguai. Eu, carente... entende? Ele, solteiro. Bonito, *hermoso*, rijo, guapo, falando aquele francês com sotaque... Ui, *madre mia*!

— O que ele estava fazendo por lá? El Supremo era o Imperador, ou coisa assim?

— Sim, e tanto o pai como o filho eram muito amigos do Napoleão III. O Paraguai e a França tinham um grande intercâmbio industrial, meu filho. Estava comprando peças para as indústrias e estradas de ferro do país dele. Foi nessa época que o Napoleão deu um anel a ele, dizendo que era do Bonaparte. A gente sabia que não era, o Solano acreditou naquilo até morrer. Tinha orgulho de mostrar e dizer: este anel foi do Napoleão Bonaparte. Eu não iria desmentir aquele orgulho.

— E como a senhora sabia que não era?

— Eu frequentava a corte muito antes dele, *d'accord*? Dois anos depois do nosso primeiro encontro, fui morar com ele em Assunção já grávida do meu primeiro filho, o que iria morrer lutando com ele em Cerro Corá com apenas 15 anos. Nasceu na minha viagem de ida, em Buenos Aires. Imagina, cheguei em Assunção divorciada e com um filho do filho do El Supremo no colo: puta! Entendeu? Hoje estou enterrada no Ministério da Defesa, em Assunção. *Son cosas de la vida, muchacho*... De puta a busto de bronze!

— Antes de começarmos a gravar a entrevista, a senhora dizia que chamava a guerra de Guerra da Inglaterra. Pode explicar?

— Não sei se vão acreditar, se o senhor publicar...

— Por favor.

— Antes, não posso deixar de falar como era o Paraguai antes da guerra. Uma potência industrial, uma agricultura exuberante. Depois da minha ida, levei de Paris artistas plásticos, maestros, arquitetos renomados, atores, diretores de teatro, escritores, poetas. Quando a guerra começou, Assunção era o maior centro cultural e financeiro da América do Sul. E atenção: a Inglaterra odiava o Solano. A palavra é esta: odiava. *Pelotudos de mierda!* Em primeiro lugar, porque eles eram os donos do mundo no século XIX. Mais ou menos como os americanos hoje. Agiam militarmente em todo lugar. Menos no Paraguai. Solano só fazia negócios com a França. E tu sabes que a Inglaterra e a França nunca se bicaram. Conseguiram até a proeza de fazer uma guerra que durou cem anos, nos séculos XIV e XV. Na verdade, parece piada, durou exatos 116 anos. Pancho, Solano, também era aliado da Alemanha. Outro país que não se dava politicamente com a Inglaterra. Estou desviando do assunto, *carago*!

— Não seria *carajo*?

— Me desculpe, meu espanhol é péssimo, *carajo*!

— Prossiga, por favor.

— Vou tentar ser menos prolixa porque não posso deixar de falar daquele ciumento do conde d'Eu e do tal do Caxias. Conde d'Eu pra vós. Lá no Paraguai ele era conhecido como Gastão. E a mulher dele, condessa d'Eu. Ai, que chiste!

— Ótimo.

— Com a Guerra de Secessão nos Estados Unidos mais ou menos na mesma época da nossa guerra, um pouquinho antes, os americanos pararam de produzir e exportar lã para a Inglaterra. Então, os ingleses queriam a lã do Paraguai. Já disse que o Solano fechava com os franceses e os alemães. Então, os filhos da puta dos ingleses resolveram fechar os portos de Santos, Montevidéu e Buenos Aires, que era por onde escoava toda a produção industrial e agrícola do nosso país para o mundo. Convenceu os três países aqui do Terceiro Mundo a invadirem o Paraguai. Financiou a guerra; deu todas as armas, uniformes, canhões,remédios, tudo, tudo, tudo. E os babacas de vocês (desculpe, mas é verdade) morriam de medo dos ingleses e fizeram tudo que foi mandado. O resto tu sabes. Sobraram só 14% de homens vivos no meu país.

— Vou checar essas informações.

— Checar com quem? Com o Duque de Caxias? Com o D. Pedro II, que chamava meu marido de bugre e de analfabeto?

— Continue, por favor.

— Em 68, a situação ficou feia. Estou falando em 68 de 1868. Foi pior que o AI-5 de 1968. Os exércitos invadiram Assunção, perdemos a guerra. Os brasileiros nomearam um interventor. Nós fugimos para os cerros. É aí que entra o Gastão. Tu sabes que em toda guerra, toda revolução, tem pelo menos uma cona, né?

— Como?

— Xoxota, cona!

— Ah, claro, cona. Até na Guerra do Paraguai?

— Alguns anos antes, quando o Solano percebeu que a Inglaterra estava fazendo a cabeça dos três países, mandou seu braço direito, o Brizuela (não é piada, o nome era esse mesmo), ao Rio de Janeiro, para propor um acordo com o imperador D. Pedro II. A filha dele, aquela dos escravos, aquela branquela, tinha 15 anos. Brizuela a pediu em casamento pro Solano. Queriam, assim, fazer uma aliança sul-americana, percebe? Uma espécie de Mercosul imperial.

— Nunca soube disso!

— E sabe o que o D. Pedro II mandou dizer ao meu Pancho? Que a filha dele já estava comprometida com um nobre francês e não se casaria com um bugre analfabeto.

— Que estava comprometida eu sabia, mas ele chamou o Solano literalmente de bugre analfabeto?

— A história é contada assim no Paraguai, *mon chéri*. Pois bem, em 68 a guerra tinha acabado, como tu sabes. O Gastão, que ficara sabendo da proposta de casamento do Solano com a mulher dele, a Isabel, era doentiamente ciumento. E fez a cabeça do sogro imperador com sua vozinha fina: "*Nous avons gagné la guerre, l'Empereur, l'homme est libéré. Il peut revenir.*" (Ganhamos a guerra, Imperador, o homem está solto. Ele pode voltar.) O Imperador chamou o Caxias, que era caxias pra caceta, e deu a ordem: matem o tirano! Aí começou a carnificina! Até chegar a Cerro Corá, onde ele foi traiçoeiramente assassinado. Ou melhor, executado! Foram dois anos de barbárie até chegar aquele dia.

— A senhora pode contar? Ou prefere não recordar? A senhora estava com as crianças e tudo o mais?

— Faço questão de contar. Naquele dia, eu sabia exatamente onde estava o meu marido. Da minha posição vi o exército brasileiro seguindo por um riachinho chamado Aquidaban Nigui. Cheguei mais perto. Solano estava com nosso filho mais velho, fraco, quase sem comida. Foi intimado a se render. Ele sabia que, caso se entregasse, morreria nas mãos do Gastão ou do Caxias. Os dois resolveram resistir. Solano ferido por um tal de Chico-Diabo. Eu estava com outro filho. Pedi para ele me esperar e corri. Pancho estava curvado. Os soldados riam. O general mandou desarmá-lo, e ele impôs uma pequena resistência. Foi quando um gaúcho chamado João Soares se adiantou e deu dois tiros. Um no meu marido e outro no meu filho. Cheguei até os dois. Já estavam mortos. Abracei os dois. Meu outro filho chegou gritando. Ouvi alguém murmurar: "É a puta?"

Ela interrompe a narrativa e começa a chorar. Desligo o gravador. Ela segura a minha mão.

— Ainda não acabei. Um soldado negro e todo molhado de suor arrancou o anel já ensanguentado do meu generalíssimo, colocou no próprio dedo e apontou para o sol, que estava muito forte. Foi no começo de março, dia 1°. Apontou o sol com o anel e gritou: "O anel de Napoleão Bonaparte!" Eu me levantei e, acredite, dei um sorriso curto, dizendo: "Este anel nunca foi do Napoleão Bonaparte, *chico*! Mas, se quiser, pode dizer que foi de Solano López." E saí da história.

NUM BANCO, COM CARLOS GOMES, NA FRENTE DO TEATRO ALLA SCALA, EM MILÃO

* CAMPINAS, SP, BRASIL, 11 DE JULHO DE 1836 † BELÉM, PA, BRASIL, 16 DE SETEMBRO DE 1896

Você deve conhecer uma ou mais ruas ou praças com o nome de Carlos Gomes. Se for ao Google, achará até um restaurante na Liberdade, em São Paulo, com o nome do maestro.

Os mais velhos devem se lembrar da abertura da *Hora do Brasil*. Foi ele o autor da ópera, que se chama *O guarani*. Uma ópera que teve estreia mundial no Teatro alla Scala, em Milão, templo das óperas no século XIX.

Os estudantes da Faculdade de Direito do largo de São Francisco, em São Paulo, devem cantarolar ainda hoje "Sois da pátria esperança fagueira", música dele com letra do colega de república estudantil Chico Bittencourt Sampaio.

E uma última lembrança: "Tão longe, de mim distante, onde irá, onde irá teu pensamento", também dos tempos da Faculdade de Direito. A letra também é dele. E os pensamentos a que se referia eram de Ambrosina, a namorada que havia ficado em Campinas.

Para ele, não foi fácil sair do interior e ser ovacionado em Milão. Seu pai, Manuel José Gomes (Maneco Músico), era mulato, filho de português com negra. Sua mãe, dona Fabiana Jaguari Gomes, era mameluca, filha de branco com índia.

Carlos Gomes era, portanto, descendente de português, índio e negro. A síntese da formação da raça brasileira até a chegada de outros europeus e japoneses no começo do século XX. Poderíamos dizer que Antônio Carlos Gomes era um autêntico brasileiro.

Mas, chamado de "selvagem" na Europa — nos dois sentidos: físico e musical —, gostava de dizer que descendia apenas de índios. E, acreditem, alisava os cabelos quase encaracolados e negros, herança da avó paterna, com um ferro de passar. E ferro de passar naquela época não era elétrico. Era na base do carvão. Imagine o trabalho.

Quando tinha 8 anos, em 1844, sua mãe foi brutalmente assassinada a facadas num beco, quando voltava para casa. Crime nunca solucionado. Foi criado pelo pai, com vários irmãos. Juntos, formaram uma banda, na qual Antônio Carlos (ou Nhô Tonico) começou os estudos musicais.

Fomos conversar com ele sobre seu sucesso no Brasil e, principalmente, na Europa, e sobre por que caiu no esquecimento depois da Proclamação da República. E os modernistas viraram mesmo as costas para a obra dele?

Morreu em Belém em 1896, com 60 anos, pobre. Com amigos e políticos do Pará, conseguiu cargo público: diretor do Conservatório de Música. Chegou à cidade aclamado pela multidão. Não conseguiu tomar posse. Já estava muito doente, morrendo.

A entrevista se deu num banco de cimento, na Piazza della Scala, em Milão, em frente ao teatro. Entre nosso banquinho e a entrada do Scalla passavam bondes nos dois sentidos. E muitas motos.

E não posso negar: ele tem algo de selvagem. Um selvagem positivo, se me entende.

— Isso aqui me lembra Campinas. Os bondes. Naquela época

eram puxados por cavalos, imaginas tu. Era bom andar de bonde. Chegaste a andar de bonde em São Paulo?

— Adorava subir a Consolação, que ainda tinha uma só mão. Acho que foi em 68 ou 69 que acabaram. Já eram elétricos.

— Claro.

— Maestro Antônio Carlos Gomes, eu queria...

Ele interrompe colocando a mão no meu joelho.

— Me chame de Tonico, já que estamos diante dos bondes da minha segunda Campinas. Lá me chamavam de Nhô Tonico.

— Maestro Tonico soa estranho.

— Só Tonico. Tu não tens um filho chamado Tonico? Pois. Informei-me sobre ti. Sou um pouco avesso a entrevistas.

— Ok, Tonico. — Soou falso demais aquele Tonico. Decididamente não podia chamar o maior músico que o Brasil já produziu de Tonico. — Meu filho vai gostar de saber disso. Maestro, aprendi a gostar do senhor vendo o show *Falso brilhante*, da Elis Regina, onde ela cantava *O guarani*.

— Foi uma belíssima interpretação, sim. Dirigida pela Myriam Muniz, não é?

— Sim, com cenários do Naum Alves de Souza.

— Foi capa da *Veja*, a Elis! Viu como estou bem informado?

— Impressionante. Voltemos então ao *O guarani* aqui no Scalla de Milão.

Levanto-me e, com o braço esticado em direção ao teatro, meio solene, digo:

— "*Questo giovane comincia dove finisco io.*" — Volto e me sento ao lado dele. Seus olhos marejam. Que selvagem, que nada! — Foi o que lhe disse Guiseppe Verdi no dia da estreia de "*Il Guarany*", aqui no Scalla de Milão. Dia 19 de março de 1870!

Você tinha apenas 34 anos. Você conquistou o mundo, maestro!

Ri, gargalha.

— Do que está rindo?

— Do Giuseppe. Era um doido. Viveu mais trinta anos depois daquele dia! Viu virar o século. Ainda compôs muitas óperas. Era um exagerado. E eu nem estava começando. Já estava com 34 anos. Naquela época, 34 anos já era um homem quase velho. Mas o Verdi morreu com mais de 80. Depois de assistir ao *O guarani*, ele ainda faria obras-primas como *Otello* e *Falstaff*. Morri cinco anos antes dele, imagina.

— Quando ele disse a frase, o que você sentiu? Naquele exato momento.

— Foi no camarim que está exatamente atrás daquela janela ali. — Ele aponta, com o dedo, a primeira à esquerda, do terceiro andar. — Aquela meio aberta. Fiquei muito emocionado. Era meu ídolo, estava no auge! Era o melhor do mundo... Nunca havia falado com ele. Tinha visto, num restaurante. Perdi a voz... e pensei logo no meu pai. Queria que meu pai estivesse naquele camarim, atrás daquela janela. Me abraçando. O Maneco Músico, como era conhecido. Meu pai e Verdi. Dois músicos, entende? E eu diria: Papai, este é o Guiseppe Verdi! Meu pai ia morrer.

— Tem historiadores que falam que isso foi inventado. A frase do Verdi.

Ele ri de novo. É um homem interessante. Não é de sorrisos. É um homem sério que passa da sisudez à gargalhada sem escala no sorriso. Aponta com o queixo para a janela do terceiro andar.

— Ali, ó. Invenção... Quem disse isso deve ter sido ligado aos modernistas. Me achavam careta, nerd, para usar uma expressão de hoje. Não vamos falar dos modernistas, por favor. Deixa pra lá.

— Está bem. Como foi sair de Campinas, uma pequena cidade do interior, naquela época, tocando no coreto da praça da matriz, na banda do pai, e chegar ali, naquela janela?

— Eu fugi. Fugi várias vezes. Se não fugisse, não chegaria aqui. Nem ali. Nem a lugar algum. Sempre fugi. No fim, fugi para Belém para morrer lá. Longe de Campinas e de Milão. Dos filhos, da filha...

— Várias? Fugiu várias vezes? Explica, por favor. Qual foi a primeira fuga? De Campinas? Para São Paulo?

— Não, não. Meu pai não queria que eu fosse músico. Ele era músico e alfaiate. Cheguei a trabalhar na alfaiataria dele. Queria que eu fosse doutor. Advogado. Ou prestasse exame para o Banco do Brasil. Fui para São Paulo. A primeira fuga foi de São Paulo para o Rio. Escondido dele, acredita? Com 23 anos! Escrevi uma carta contando. Eu queria estudar música no Rio de Janeiro. São Paulo era uma cidade pequena. Tudo acontecia no Rio. E eu tinha uma amiga que conhecia a amante do Imperador, a Barral.

— A condessa?

— Sim, a Luísa Margarida. Sabia que ela era de Santo Amaro da Purificação? Terra de dona Canô e todos aqueles filhos maravilhosos?

— Que maravilha. Ou seja, você era amigo da amiga do mocinho, o Imperador.

— Isso. Resumindo, estudei música no Rio, e o Imperador, de quem fiquei muito amigo, me deu bolsa para estudar em Milão. Que era tudo que eu queria. Meu pai queria me matar. Mesmo assim, foi ao meu embarque no porto de Santos. Com a Ambrosina.

— A bolsa era uma ajuda pessoal de D. Pedro ou do Império?

— Não, foi uma bolsa dada pelo próprio Imperador. Da verba pessoal dele. Mecenato mesmo. A Barral conseguia tudo que queria. — Escapa-se-lhe uma pequena risada. — E me deu várias cartas de apresentação. Ele, não ela. O Imperador era muito conhecido e relacionado na Europa. Uma bolsa para estudar quatro anos em Milão. Dava para viver razoavelmente.

— Você já alisava o cabelo?

Ele se levantou. Imagino que vá pegar o primeiro bonde. Volta com ar sério.

— Por favor, tem duas coisas de que eu não quero falar.

— Além dos modernistas?

— Sim. Da Ambrosina, da minha reação quando eu soube que ela se casou no Brasil, e dessa história de alisar o cabelo com ferro de passar roupa. Minha mãe era índia. Meu cabelo é liso. E não se fala mais nisso. — Breve pausa. — Quer dizer, levemente ondulado.

Tenho quase certeza de que está alisado. Uma chapinha básica. É um homem selvagemente bonito. Não precisa disso. Continuo:

— Pode deixar. Nem me lembrava mais da Ambrosina. Como foi a ideia de transformar o romance do José de Alencar em ópera?

— O romance saiu primeiro em forma de folhetim, no primeiro semestre de 1857. Uma tia, irmã da minha mãe, portanto, também filha de índia, recortava do jornal e me mandava. Tem o Peri, não é?, índio, grande personagem. E é um livro com muita ação, não é mesmo? De uma época bem movimentada, um ritmo alucinante. Já que me chamavam de selvagem, resolvi colocar tudo no palco. O selvagem da ópera, como bem disse o Rubem Fonseca.

— Confesso que nunca li *O guarani*.

— Pois devia. Alencar é muito bom. Leia também *Iracema*.

Lezio
Junior

Sabia que Iracema é um anagrama de América? — Paro para pensar, e é mesmo! E me lembro da letra do Chico: "Iracema voou para a América e lava chão numa casa de chá." — Eu também não tinha percebido até ele me contar numa carta. Eu dizia que aquele era o primeiro motivo, escrever uma ópera com índios em cena. Minha origem, né? E o segundo (não tenho certeza absoluta) acho que foi para "puxar o saco" do meu futuro sogro de Milão, o signori Peri. Veja a coincidência. Fui me apaixonar por uma milanesa chamada *signorina* Adelina Peri.

— E precisava "puxar o saco" do cara por quê?

— A família dela me odiava. O pai, principalmente. Achavam que eu era um bicho do mato. Tu não vais acreditar: pedi ao D. Pedro II que mandasse uma carta me recomendando ao pai dela.

— Para o pai da moça?

— Foi o único jeito. E o Imperador imediatamente mandou uma carta falando de mim. Confesso que até elogiou um pouco demais.

— Casou?

— Casei, tive filhos, dinheiro, uma bela mansão, sucesso.

— Seu amigo, André Rebouças, dizia que você e a Adelina Peri eram "uma ovelha ao lado de um leão".

— Não era bem assim. Discuti muito isso com ele.

— Aí houve uma separação mais do que litigiosa e...

— Por favor, não vamos entrar nas miudezas de uma separação. Aos 60 anos, eu era um velho ranzinza e não tinha mais nada. Nem família, nem bolsa, nada. Foi quando os amigos do Pará me "deram" um emprego.

— Mas você fez outros sucessos.

— Sim, *Lo schiavo*, por exemplo. *O escravo*, que fiz para a princesa Isabel, um ano antes da Abolição.

— O senhor acha que a ópera ajudou?

— Pode ter sido o último cutucão. Com a República em 89, acabou a bolsa. E nem consegui marcar uma audiência com o presidente de República. Com nenhum deles. Eu era um homem do Império, entendeu? Acabei morrendo devagar, sete anos depois do Império. Agonizamos juntos.

— Como os modernistas, que surgiram a partir de 1922, atrapalharam o senhor?

— Combinamos não falar nisso. Procure se informar.

— Como o senhor vê a cultura no Brasil hoje? A música, a literatura...

— O problema do Brasil sempre foi a educação. Desde o Império. É impressionante. Um país sem educação é um país sem cultura. Então, veja o que são os livros mais vendidos hoje e as músicas mais vendidas. Um país sem educação merece ficar de castigo. É isso: em termos musicais e literários, a população está de castigo, ouvindo e lendo errado! Que fique claro que foste tu que me mandaste dizer isso.

Eu apenas havia sugerido, em off.

— Ok. Você não quer falar sobre os modernistas, mas eu falo. O Oswald de Andrade andou escrevendo barbaridades a respeito do maestro. Disse que a sua obra era nefanda e inexpressiva, entre outras bobagens.

— Um babaca. A Isadora Duncan, doida para dar pra ele, preparou um jantar com velas e champanhe, e ele não comeu. Não comeu nem bebeu! Perdeu o bonde. Tá vendo?, falei merda! Eu disse para deixar quieto. Estou achando este final de entrevista muito modernista.

Levanta-se, começa a assoviar a introdução de sua ópera *O guarani*, atravessa a rua com cuidado, sempre assoviando, desvia do bonde que vem, desvia do bonde que vai.

E entra no Teatro alla Scala. Provavelmente subirá até aquela janela ali, no terceiro andar, ainda assoviando a ópera do selvagem. Ali, logo ali.

DOM CASMURRO,
CAPITU E ESCOBAR: QUEM TRAIU QUEM?

* RIO DE JANEIRO, RJ, BRASIL, SÉCULO XIX † MUNDO INTEIRO, ATÉ HOJE

Existe uma discussão mais que centenária, desnecessária e quase idiota na literatura brasileira: Capitu traiu Bentinho? Bentinho, que, depois de velho, ficou conhecido por Dom Casmurro. Invenção do Machado de Assis, considerado pelos acadêmicos um dos melhores escritores da língua portuguesa.

Desde a primeira vez que li o genial romance, achei que Capitu havia traído Bentinho: o filho de Capitu e Bentinho era idêntico ao Escobar, colega de seminário de Bentinho. Até no jeito de andar. Ali tinha.

Depois cheguei a ler mais umas duas ou três vezes e comecei a desconfiar de que faiscava alguma fumaça entre o Bentinho e o Escobar, desde o tempo do internato, do seminário. Mesmo porque, no mesmo dia, eles confessam que querem sair do seminário, e saem. Casam (Bentinho com Capitu, e Escobar com outra donzela) e tomam seus rumos. Os dois casais continuam a se frequentar etc., até que a dúvida começa a martirizar, a azucrinar a cabeça do Bentinho cada vez mais Casmurro.

E eu comecei a me perguntar: o Bentinho tinha ciúmes de quem? Da Capitu ou do Escobar? Sim, porque basta uma leitura um pouco mais atenta para se perceber que os dois se amam. Separei alguns trechos do livro, escrito como um diário do Bentinho, e fiz esta entrevista com ele.

Ele me recebeu com licores. Havia um forte cheiro de jasmim naquela sala.

— Dom Casmurro, a história começa com o senhor num trem da Central, já com certa idade. Chega um rapaz *aqui do bairro, que eu conheço de vista e de chapéu. Cumprimentou-me, sentou-se ao pé de mim, falou da Lua e dos ministros, e acabou recitando-me versos.* São palavras do senhor.

— Sim, sim, reconheço.

— Era normal, naquela época, um rapaz se aproximar de um senhor, em um trem da Central, e recitar poemas? E mais: o senhor não deu muita bola, e ele o apelidou de Dom Casmurro. Não era esquisito? Ninguém comentava nada?

— Comentar o quê?

— O senhor não acha uma atitude meio gay?

Ele se levanta, derruba a garrafa de licor.

— O que é isso? Sei muito bem o que é gay! Retire-se, senhor! Não tenho nada contra eles. O que é que o senhor está insinuando?

— Estou insinuando que o senhor e o senhor Escobar se gostavam intensamente. E que eu admiro muito essa atitude e essa coragem de vocês dois. Naquela época...

Agora mais manso.

— Como é que tu chegaste a uma conclusão tão conclusiva e desbaratada como esta? — Grita para dentro da casa. — Gordo!

Fico preocupado com o tal do Gordo. Chegou um japonesinho

mínimo já com o pano e demais apetrechos para a limpeza do chão.

— Sente-se — pede ele.

Esqueci-me de dizer que eu ainda não havia tido tempo de me sentar. Sento.

— Vou ler um pedacinho. Logo que o senhor, adolescente, chega ao seminário:

Em pouco tempo eu me acostumaria aos companheiros e aos mestres, e acabaria gostando de viver com eles.

— *Eu só gosto de mamãe.*

— E era verdade! Algum problema em gostar da mãe na adolescência?

— É que o senhor afirmou que *só gosto.* Freud explica.

— Quem?

— Logo em seguida, o senhor conhece Escobar:

Era um rapaz esbelto, olhos claros, um pouco fugitivos, como as mãos, como os pés, como a fala, como tudo. Quem não estivesse acostumado com ele podia acaso sentir-se mal, não sabendo por onde lhe pegasse. Não fitava de rosto, não falava claro nem seguido; as mãos não apertavam as outras, nem se deixavam apertar delas, porque os dedos, sendo delgados e curtos, quando a gente cuidava tê-lo entre os seus, já não tinha nada. O mesmo digo dos pés, que tão depressa estavam aqui como lá.

Aqui, eu pulo umas poucas linhas. E:

A princípio fui tímido, mas ele fez-se entrado na minha confiança. Aqueles modos fugitivos cessavam quando ele queria, e o meio e o tempo os fizeram mais pousados. Escobar veio abrindo a alma toda, desde a porta da rua até ao fundo do quintal. A alma da gente, como sabes, é uma casa assim disposta, não raro com janelas para todos os lados, muita luz e ar puro. Também as há fechadas e escuras, sem janelas, ou com poucas e gradeadas, à semelhança de conventos e prisões. Outrossim, capelas e bazares, simples alpendres ou paços suntuosos.

Não sei o que era a minha. Eu não era ainda "casmurro", nem Dom Casmurro; o receio é que me tolhia a franqueza, mas como as portas não tinham chaves nem fechaduras, bastava empurrá-las, e Escobar empurrou-as e entrou. Cá o achei dentro, cá ficou, até que...

— É bonito isso, Dom Casmurro. *Cá o achei dentro, cá ficou.*

— O senhor estás a zombar de mim.

— Estou falando sério. É lindo. É Machado!

— E o senhor acha que isto era amor?

— O senhor o levou para conhecer sua mãe! Ele a achou o máximo. Veja como o senhor descreveu a despedida de Escobar:

Escobar despediu-se logo depois de jantar; fui levá-lo à porta, onde esperamos a passagem de um ônibus. (...) Separamo-nos com muito afeto: ele, de dentro do ônibus, ainda me disse adeus, com a mão. Conservei-me à porta, a ver se, ao longe, ainda olharia para trás, mas não olhou.

— Paixão, Dom Casmurro.

— Nunca me encostei nele! Era platônico.

— Platônico o caceta, Casmurro! Veja isto:

Fiquei tão entusiasmado com a facilidade mental do meu amigo, que não pude deixar de abraçá-lo. Era no pátio; outros seminaristas notaram a nossa efusão; um padre que estava com eles não gostou.

A modéstia, disse-nos, não consente esses gestos excessivos; podem estimar-se com moderação.

Escobar observou-me que os outros e o padre falavam de inveja e propôs-me viver separados.

Interrompi-o dizendo que não; se era inveja, tanto pior para eles.

E um pouquinho mais para a frente:

Fiquemos ainda mais amigos que até aqui.

Escobar apertou-me a mão às escondidas, com tal força que ainda me doem os dedos.

— O que eu queria saber é se o senhor tinha noção da paixão de um pelo outro e que duraria a vida toda, mesmo depois dos dois casados.

— Prefiro não responder a esta pergunta. O licor está a subir-me. Mais uma dose?

— Sim.

Nos servimos. Belos goles. Dom Casmurro estava gostando do que eu lia.

Escobar, você é meu amigo, eu sou seu amigo também; aqui ao seminário você é a pessoa que mais me tem entrado no coração, e lá fora, a não ser a gente da família, não tenho propriamente um amigo.

Se eu disser a mesma coisa, retorquiu ele sorrindo, perde a graça; parece que estou repetindo. Mas a verdade é que não tenho aqui relações com ninguém, você é o primeiro e creio que já notaram; mas eu não me importo com isso.

Comovido, senti que a voz se me precipitava da garganta.

Escobar, você é capaz de guardar um segredo?

Você que pergunta é porque duvida, e nesse caso...

Desculpe, é um modo de falar. Eu sei que é moço sério, e faço de conta que me confesso a um padre.

Se precisa de absolvição, está absolvido.

Escobar, eu não posso ser padre. Estou aqui, os meus acreditam, e esperam; mas eu não posso ser padre.

Nem eu, Santiago.

Nem você?

— Vocês tinham que sair daquilo, Casmurro. Veja o que escreve:

Ia alternando a casa e o seminário. Os padres gostavam de mim. Os rapazes também e Escobar mais que os rapazes e os padres.

— Só para encerrar, Dom Casmurro:

Durante cerca de cinco minutos esteve com a minha mão entre as suas, como se não me visse desde longos meses.

Você janta comigo, Escobar?

Vim para isto mesmo.

— Interessante, muito interessante. Lendo assim, só as partes, isoladamente, chega a parecer um caso de amor.

— O senhor vai agora negar que foi um caso de amor, Dom Casmurro? Cinco minutos de mãos dadas?

Entro na internet e escrevo: "Dom Casmurro era gay?" Encontro muito a respeito, inclusive uma crônica genial do Millôr Fernandes, também usando algumas das frases que selecionei aqui. Fico orgulhoso, confesso. Diz lá o Millôr, e eu li para o velho Casmurro.

— Veja, Dom Casmurro, o que o Millôr Fernandes, uma das melhores cabeças que nosso país já produziu, escreveu sobre o senhor, edição da Nova Aguilar:

Dom Casmurro sofre da dor específica umas cinquenta páginas do romance, envenenado pela hipótese da infidelidade de Capitu. Que dúvida, cara-pálida? Capitu deu pra Escobar. O narrador da história, Bentinho/Machado, só não coloca no livro o DNA do Escobar porque ainda não havia DNA. Mas fica humilhado, desesperado mesmo, à proporção que o filho cresce e mostra olhos, mãos, gestos e tudo o mais do amigo, agora morto. Bentinho chega a chamar Escobar de comborço (parceiro na cama).

Vou ter que interromper o Millôr para explicar mais claramente o significado da palavra comborço, segundo Houaiss: "aquele que é amante de uma mulher em relação ao marido ou outro amante dessa mulher". Resumindo: um sujeito que está tendo um caso com a sua mulher é o seu comborço. E você é o corno dele. Voltemos ao mestre Millôr:

Mas, pela nossa eterna pruderie *intelectual, também ainda ridiculamente forte com relação a outro tipo de relação, a homo, nunca vi ninguém falar nada das intimidades entre Bentinho e Escobar. É verdade que, na época, Oscar Wilde estava em cana por causa do pecado que 'não ousava dizer seu nome.*

Não fiz interpretações. Apenas selecionei frases — momentos — do próprio Dom Casmurro/Machado. Leiam, e concordem ou não.

— Millôr Fernandes, Dom Casmurro! Uma honra!

— Ele me chamar de corno e gay? Uma honra? Cá entre nós, o Machado era macho demais para admitir escrever uma história de amor entre dois homens. E, pelo jeitão, escreveu mesmo. Homossexuais, nós dois? Eu e Escobar? Machado vai tremer no túmulo quando souber desta entrevista. A gente não pode fazer nada, né? Tanaka!!!

— O senhor mesmo chegou a chamar o Escobar de seu comborço...

— Tanaka!

AS MULHERES DE CASTRO ALVES

* CURRALINHO, BA, BRASIL, 14 DE MARÇO DE 1847 † SALVADOR, BA, BRASIL, 6 DE JULHO DE 1871

O "Poeta dos Escravos" (segundo uns) ou o "Poeta da Mulher" (segundo o também baiano Jorge Amado) fez muito em apenas 24 anos e três meses de vida. Abolicionista, republicano, arrasava (como se diria hoje) com as mulheres que cantava com e em seus versos. Viveu intensamente entre o interior da Bahia, na cidade de Curralinho (hoje conhecida como Castro Alves), Salvador, Recife, Rio de Janeiro e São Paulo. Depois de não passar duas vezes no vestibular para direito no Nordeste, entrou na terceira vez e mudava de faculdade de cidade para cidade por onde passava.

Antes, em 1864, com 17 anos, havia se alistado para lutar na Guerra do Paraguai, mas não chegou a ser chamado. Era neto do major Castro, lembra?, comandante de Maria Quitéria na época da Proclamação da Independência.

Não se formou em São Paulo, onde estava no quarto ano. Precisou voltar para a sua Bahia depois de acertar um tiro no calcanhar com a própria espingarda, por descuido, numa caçada no bairro do Brás. Seu pé gangrenou, e ele precisou ter parte da perna esquerda amputada, sem nenhuma anestesia, na Faculdade de Medicina do Rio de Janeiro.

Como se isso não bastasse, pegou o mal do século, a tuberculose. Doente e mutilado, voltou para a Bahia e para o colo de sua namorada de infância, Leonídia Fraga. Morreu ali, no solar da família, no Sodré, às três e meia da tarde do dia 6 de julho de 1871, sentado junto a uma janela banhada pelo sol. Havia sido seu último desejo. Como já disse, tinha 24 anos, amigo de Machado de Assis, Rui Barbosa, Fagundes Varela, José de Alencar e tantos outros. E mais: no século XX, o chileno e Prêmio Nobel Pablo Neruda escreveu um poema para ele chamado "Castro Alves do Brasil".

Morreu como quis, poetou como quis e namorou baianas, pernambucanas, paulistas, cariocas e — talvez seu grande amor — a grande atriz portuguesa Eugênia Câmara, dez anos mais velha do que ele. E era amasiada com outro, diga-se de passagem.

De Pablo Neruda: "Tua voz uniu-se à eterna e alta voz dos homens. Cantaste bem. Cantaste como se deve cantar."

Comecei a entrevista com ele, num boteco do Pelourinho, dizendo que, se vivo fosse hoje, seria uma mistura de Vinicius, Caetano e Chico. Ele caiu na gargalhada:

— Imagina! Sou apenas o neto do major Castro.

— Verdade que você não gosta do seu nome completo? Antônio Frederico de Castro Alves.

— Eu não gosto é do Frederico. E não me pergunte por quê. Cismei. Gostava do meu apelido de criança! Cecéu. Frederico parece uma espécie de ferramenta. Vá lá e traga o martelo e o frederico, Cecéu!

— Que apelido é esse?

— Uns dizem que foi meu irmão mais velho, outros que foi minha ama de leite, a Leopoldina.

— O irmão que se suicidou?

— Sim, não quero falar dele, se possível. Estamos aqui a tomar este chopinho, nesta tarde linda, verãozão baiano, prefiro falar da minha segunda mãe, a Leopoldina, negra como as asas da graúna, como diria o Zezinho de Alencar falando dos cabelos de Iracema. Minha ama de leite, que me fez amar os negros. Vamos falar de negros, negras e mulheres. Mulheres africanas e brasileiras! E as deliciosas mulatas baianas. Olha aquela bunda ali na sorveteria.

— Realmente... bunda pra mais de cem talheres.

— Bota talheres nisso. De prata! Vamos voltar à minha infância. A Leopoldina. Escrava, africana. Falava um português meio esquisito. Me contava histórias da África antes de ser capturada. Histórias lindas, muito melhor que Chapeuzinho Vermelho ou bobagens do Gepeto. Eu me emocionava. Depois, eu já mais grandinho, ela me contava do navio que a trouxe, o navio negreiro, né?

— Aquilo foi ficando na tua cabeça.

— Sim, cada vez mais forte. Aprendi a amar a Leopoldina e os negros bem moleque ainda. Odiava os contos de príncipes brancos e fadas cor-de-rosa. Não era o meu mundo.

— Veja o que li de você, e posso confirmar agora: "Um belo rapaz, de porte esbelto, tez pálida, grandes olhos vivos, negra e basta cabeleira, voz possante, dons e maneiras que impressionavam a multidão, impondo-se à admiração dos homens e arrebatando paixões às mulheres." O que acha?

— Um exagero, evidentemente. As mulheres realmente me enlouqueciam. É como se eu soubesse que viveria só até os 24 anos.

— Quantas foram?

— Aí tu me pegaste. Posso falar das mais fixas, digamos assim, que foram quatro. Eu gostaria de falar do meu lado antiescravagista. Eu e o Rui Barbosa fundamos uma sociedade abolicionista, sabias? Tudo garotão ainda. O Rui era dois anos mais novo do que eu. E tem o meu lado republicano. Gostava muito do imperador Pedro II, acho que já naquela época eu era meio PT, sabe?

— Melhor voltarmos às mulheres.

— Calma. Queria aproveitar também para agradecer ao grande poeta Pablo Neruda a homenagem que me fez. Eu gosto, sabe? Do reconhecimento.

— Me fale da atriz Eugênia Câmara. Era casada, pois não?

— Calma. Olha aquela mulata de amarelo ali. Com os seios quase a pular nas nossas mãos. Que dádiva divina.

— Nossa maior invenção, a mulata!

— É que ela me lembra do meu primeiro amor. Leonídia. Esta mulher, a Leonídia, daria um filme. Veio a morrer só em 1927, com 83, internada há anos num hospício. Por manobras do destino, ela viria a ser também o meu último amor. Era três anos mais velha do que eu.

— Você sempre gostou de mulheres mais velhas?

— Pra falar a verdade, o que menos importava numa mulher para mim era a idade. Jorge Amado, baiano como eu, um dia escreveu sobre ela: "A doce Leonídia deu-lhe seus risos na infância, seus lábios na adolescência, seus seios quando ele quis, no final, reclinar a cabeça febril."

— Foi ela, lá no sertão, que lhe ensinou o prazer do sexo?

— Me encaminhou, digamos assim. Sempre que eu voltava para visitar a família a gente se encontrava em cima da jabuticabeira.

— Em cima ou embaixo?

— Em cima. Como disse o Jorge, era a fase dos risos, depois os beijos. A jabuticabeira era nosso ninho. Até a minha morte.

— Aí você conheceu a portuguesa.

— Calma. Eu vi a Eugênia pela primeira vez no palco no papel de Dalila, na peça de mesmo nome. Isso foi em 63, eu tinha 16 anos, e ela não era casada, era amante do empresário dela, português também. O cara se chamava Furtado Coelho. Eu pensei imediatamente: um cara chamado Furtado Coelho nasceu pra ser corno! Não é nome de corno, Furtado Coelho?

— Total, total.

— Um dia eu me exaltei e depois do espetáculo, interrompendo os aplausos, com postura apolínea, declamei do camarote lá de cima: "Ainda uma vez tu brilhas sobre o palco,/ Ainda uma vez eu venho te saudar.../ Também o povo vem rolando aplausos/ Às tuas plantas mil troféus lançar."

— Eu havia lido isso num texto de Newton Quadros Cairo.

— O que ele não disse é que ela me chamou ao camarim. "Quem é este Apolo com sotaque baiano?" Eu com 16, ela com 26. Meu amigo, o olhar que trocamos foi, com o perdão dos puristas, foi foda! A paixão ainda ia demorar pra rolar pra valer. Desde aquela noite, eu estava terrivelmente possuído por ela. E acho que a recíproca era verdadeira. Aos 19 eu morava com a Idalina, na rua do Lima, em Santo Amaro, no Recife. Quando voltei para Salvador, me encontrei de novo com a Eugênia. Aí não houve amante que nos separasse. Saímos viajando pelo Brasil. De barco. "Das naus errantes, quem sabe o rumo, se é tão grande o espaço?" Rio, São Paulo, que era uma cidadezinha bem pequena, Santos. Eu com 20 e ela com 30. Vou lhe dizer um negócio, meu amigo.

Sotaque português é afrodisíaco, é melhor que amendoim, ginseng ou Viagra. Minha vida, durante os dois anos com ela, foi uma loucura. "Veleiro brigue corre à flor dos mares." Nunca fiz tantos poemas. Escrevi até uma peça, *Gonzaga*.

— Tou pensando até agora no Furtado Coelho, o corno. Como será que ela dizia quando transavam? "Vai, Furtado!" ou "vai, Coelho!"?

— Ou, pior ainda, "vou gozar, Furtado Coelho, vou gozar". É brochante mesmo. Aí veio o tiro no pé. Que não estava nos meus planos.

— Como foi isso?

— Já havia me separado dela. Foi numa caçada no bairro do Brás, em São Paulo. Minha espingarda disparou, acertou o meu pé. O resto tu colocas lá na introdução da entrevista. Tá é faltando chope nessa mesa. E acarajé.

— Garçom... Mais dois. Gangrena, amputação de metade da perna, tuberculose. Volta à Bahia para esperar a morte.

— Nos braços de Leonídia. Aí, tudo que aprendi com a portuguesa ensinei a Leonídia. Morri amando, e muito. Quer morte melhor do que esta? Há quem diga que nosso amor foi platônico. Imagina... As jabuticabas, negras como a graúna e os cabelos dela, são minhas testemunhas.

— Você disse que teve quatro mulheres fixas. Quem foi a quarta?

— Ah, este sim, foi platônico. Eu já estava quase morrendo. Paixão platônica. Vi um sarau com ela, vestida de vermelho, e fiz um poema que começava assim: "*A rosa vermelha/ semelha/ beleza de moça vaidosa, indiscreta./ As rosas são virgens/ que em doudas vertigens/ palpitam,/ se agitam/ e murcham das salas na febre inquieta*". Fraquinha, né?

— Mas quem era ela?

— Não posso falar. Casada. Nem chegou a rolar nada. Esqueça.

— Se você não tivesse morrido aos 24 anos, o que teria sido de você?

— Baiano sabe a hora de morrer. Veja Glauber.

— É verdade...

Ele tira lentamente uma cigarrilha do bolso do paletó, pega a caixa de fósforos, acende, sopra a fumaça para bem alto. Se alivia quando chegam os chopes, a gente brinda, dá um gole gostoso. Mordisca o acarajé apimentado.

— Eu não deveria fumar, eu sei. Tudo já está mesmo perdido.

Vou dizer alguma besteira sobre fumar e tuberculose quando olho para a rua e vejo.

— Olha quem vem ali!

— Não acredito! Caetano Veloso! Tu que armaste isso?

— Não. Pura coincidência. Caetano!

Caetano chega, se assusta com a presença do poeta, não acredita, eu faço que sim com a cabeça. Ele sorri gostoso. Se abraçam. Se beijam. Os dois choram. Eu também.

Caetano vira-se para trás.

— Gil, chegue, veja quem está aqui!

— Quem? Rui Barbosa?

E foram chegando na roda Tom Zé, Caymmi, Jorge Amado, João Ubaldo Ribeiro, Mãe Menininha do Gantois, Regina Dourado, Irmã Dulce, Glauber Rocha e, acreditem, Antônio Carlos Magalhães discutindo política com Rui Barbosa. Sem falar no Obina e no Bobô.

RUI BARBOSA,

O CZAR NICOLAU II E O MINGAU DE ARARUTA

* SALVADOR, BA, 5 DE NOVEMBRO DE 1849 † PETRÓPOLIS, RJ, 1 DE MARÇO DE 1923

Em 2013 o jornal *A Tarde*, de Salvador, Bahia, fez uma ampla pesquisa: qual o maior baiano de todos os tempos? Deu ele, talvez o mais baixo: Rui Barbosa, levando para o pódio Jorge Amado e Castro Alves.

Pouco mais de um metro e meio, pesava 48 quilos. Pequeno e cabeçudo, empolgou primeiro a Bahia, depois o Brasil. E o mundo. Polímata, jurista, deputado estadual e federal, senador, diplomata, escritor, filólogo, tradutor, orador, ministro, embaixador e péssimo economista: como ministro da Fazenda, foi responsável pelo chamado "encilhamento": uma ciranda de títulos com aval do Tesouro que arrebentou com as finanças públicas da recém-proclamada República. Veja em *1889*, do Laurentino Gomes. E chato de galocha. Sua oração aos moços não podia ser mais maçante e enfadonha, se é que algum formando da São Francisco prestou atenção àquele discurso na formatura.

Era um gênio, nosso personagem. Aos 5 anos, seu professor vaticinou: "Este menino é o maior talento que já vi. Em quinze dias aprendeu análise gramatical, a distinguir orações e a conjugar todos os verbos regulares." Com 18 anos, teve — pela primeira vez — o que chamavam de "incômodo cerebral". No ano seguinte abrigou na sua casa nada menos do que Castro Alves, que, segundo o próprio Rui, sofria também com o "incômodo" mental! por causa do rompimento com Eugênia Câmara, atriz lusitana que o deixou para trás.

Em 1870, formou-se pela Faculdade de Direito do largo de São Francisco em São Paulo e teve outro "incômodo mental". Vai saber...

Seu primeiro amor, de nome Brasília, não quis saber dele. Sofreu. Era 71. Em 76, aos 27 anos e já notável jornalista, casou-se com a baiana Maria Augusta Viana Bandeira, e viveram muito felizes. Em 81, aos 32 anos, promoveu a Reforma Geral do Ensino. Uma semana antes de a princesa Isabel assinar a libertação dos escravos, ele dizia: "A grande transformação aproxima-se do seu tempo." Acertou outra vez.

Quando houve a Proclamação da República, o deposto D. Pedro II afirmou: "Nas trevas que caíram sobre o Brasil, a única luz que alumia, no fundo da cave, é o talento de Rui Barbosa." Anos depois, em Paris, Rui Barbosa diria para o exilado ex-imperador: "Majestade, me perdoe, eu não sabia que a República era isso." No que D. Pedro II deve ter pensado: "Não quis me ouvir, agora toma!"

Depois de passar por vários cargos políticos, foi a Haia, na Holanda, e barbarizou. Consagrou-se perguntando aos da plateia da Convenção de Haia, ou Conferência de Haia, que discutia uma série de acordos multilaterais entres diversas nações:

— Em que língua quereis que eu fale?

Não disse que o cara era chato? Precisava? Um mais chato ainda sugeriu:

— Latim.

E ele fez sua palestra em latim. Nesta entrevista, saberemos se isso é mesmo verdade, além de algumas inverdades. Inclusive o que acha da nossa República hoje. Afinal, ele foi candidato derrotado em três eleições para presidente da República do Brasil. Quem sabe na quarta, como o Lula, não seria eleito e teria mudado — para melhor ou pior — os rumos do nosso país?

Fui conversar com ele na casa em que viveu durante muitos anos, no Rio de Janeiro, na hoje Fundação Casa de Rui Barbosa, em Botofago, na rua São Clemente, 134. Durante todo o tempo em que estivemos juntos não sorriu nenhuma vez. É um velho ranzinza.

Juro que ele me perguntou em latim, assim que entrou, onde fora seu antigo escritório:

— *Quid vis loqui lingua, iuvenis?* [Em que língua quereis que eu fale, meu jovem?]

E eu, muito atrevido, por ter estudado latim no Colégio Salesiano, em Lins, durante nove anos, não deixo por menos o desafio:

— *In Latin, Magister!* [Em latim, mestre!]

Ele se admira e fica esperando a minha primeira pergunta:

— *Quid est cerebrum nocet?* [Afinal o que é um incômodo cerebral?]

— *Cerebrum usque ad illud tempus, quod noceat nemini. Ego sum primus, et undecim Freud adhuc discere scribere et legere. Tristitia, tristitia, quia non factum est in 1901 Lacan cepit. Ita me et Alves Castro ad nos prior, non multum. Cum, quid haberet. Ego autem mortuus mundo. Itaque nescire, quid hoc.* [Até aquela época não se sabia o que era um incômodo cerebral. Quando tive o primeiro, Freud tinha 11 anos e ainda estava aprendendo a ler e escrever. Não era depressão porque a depressão começou quando o Lacan nasceu, em 1901. Portanto eu e o Castro Alves fomos os primeiros a ter, não é demais? Depois descobriram o que a gente teve. Já estava todo mundo morto. Portanto, não sei o que era aquilo.]

— *Domine vocacione abolitionist venit cum aliqua documenta argui ardore ministro lorem racism.* [O senhor, apesar de ter sido abolicionista, chegou a ser acusado de racista por queimar certos documentos quando era ministro da Fazenda.]

— *Contumeliosum id caput. Quid magnum est norum et agricolae servos vindicare coepit perdiderunt millions of libras in emissione. Servi valium argentum multum. Plures petere coepit republicam. Et non dubium est. Qui multis, ut minister non interrogaverunt. Litteris missis ad omnes, servi registrations in omnibus civitatibus quae registries Brazil. Sed haec ratio non posset dici quod in tempore servitutis maculam delere Brasilia dictum. Volentes me occidere, pluribus.* [Isto foi uma injúria com a minha pessoa. O que aconteceu foi que os grandes proprietários de terras, os latifundiários, fazendeiros, começaram a alegar que, com a libertação dos escravos, eles perderam milhões de libras. Os escravos valiam muito dinheiro. Vários começaram a processar a República. E eu não tive dúvida. Como era o ministro, nem perguntei para ninguém. Mandei queimar todos os Livros de Matrículas de Escravos existentes nos cartórios de todas as cidades do Brasil. Como não podia alegar que era este o motivo, na época, disse que foi para apagar a mancha da escravatura no país. Muita gente quis me matar.]

— Se me permite agora falar em português, é porque se faz necessário.

Lézio
Junior

— Melhor, seu latim é péssimo.

— Há muito não o pratico.

— Não mais do que eu. Diga-me, mancebo.

— Existe uma história que teria acontecido com o senhor em Haia, numa festa dada pelo último czar, o Nicolau II, na embaixada russa. É verdade a história do cumprimento?

— Eu já contei esta história tantas vezes que nem mais sei se é verdade ou invencionice.

— O que importa é a versão, se me permite.

— O senhor tem razão. Não dá para contar em latim. A rima me força a voltarmos novamente à "última flor do Lácio, inculta e bela". Se eu perder alguma parte, me ajuda. Aliás, quem lhe contou?

— Foi o Fernando Morais, o escritor. E me garantiu que quem contou para ele teria ouvido de sua própria boca: o também escritor Moacir Werneck de Castro.

— Realmente a família Werneck de Castro era minha vizinha, moravam logo ali. O Moacir era um gurizinho com menos de 10 anos.

— Deve ter ouvido na sala, num sarau qualquer.

— Pode ser, pode ser. Ateamos-nos aos fatos. Está certo "ateamos-nos" em português? Deixa pra lá. Vou me ater ao fato. Estamos em 1907, o czar Nicolau II, o último dos czares. Pai da princesa Anastácia, se recorda dela? Dizem que foi a única a não ser fuzilada. Parece que fizeram até filmes com a beldade.

— Desculpe, o senhor está se desviando da história.

— Me desculpe. É que há muito não dou uma entrevista. Só para concluir, o filme é de 1957, e quem fez a Anastásia foi a Ingrid Bergman. Yul Brynner, aquela louca careca, também trabalhou.

— Dr. Rui!

— Me perdoe. Vamos aos fatos. De noite, no dia em que eu fiz minha célebre conferência em latim, o czar Nicolau II deu uma festa no consulado da Rússia em Haia. Como grande e famoso poliglota, fui convidado. Havia uma enorme fila de gente do mundo todo para cumprimentar o Nicolau. O sujeito chegava perto, um ajudante de ordens dizia o nome e o país do cidadão, e o Nicolau falava na língua do elemento. Eu, que estava na fila, fui me impressionando com aquilo. O homem falava mais línguas do que eu? Impossível! Quando ele chegou, fui anunciado:

"— Rui Barbosa, Brasil.

"E o czar, em português:

"— Como vai aquela terra maravilhosa? Copacabana continua linda? Como vai o presidente Afonso Pena?

"Respondi laconicamente e nos despedimos. Fiquei invocado (gíria daquela década) com aquilo. Resolvi testar o czar. Dei a volta e peguei a fila de novo. Quando cheguei, fui anunciado:

"— Rui Barbosa, Brasil.

"— Nicolau, Nicolau, vamos comer mingau? — perguntei ao czar.

"O russo apertou minha mão e respondeu:

"— Só se for de araruta, seu filho da puta!"

Realmente, não importa se a história da araruta é verdade ou não. O que importa é a rima. E ainda fiz uma última pergunta ao mestre:

— E o que o senhor acha da república brasileira hoje?

Ele pensa um pouco.

— O Fernando Henrique colocou o mundo no Brasil. O Lula colocou o Brasil no mundo. Nem o mundo nem o Brasil souberam aproveitar isso. E o maior problema do Brasil, na minha velha e ranheta sabedoria, não é a corrupção, é a incompetência. O Brasil está cada vez mais incompetente. A culpa? Da educação. O Brasil é um país sem educação. E só vai piorar. Não tem que combater a corrupção. Isso existe no mundo todo. Tem que se combater é a falta de educação. Quer que eu diga isso em latim, para encerrar?

— Não, deixa em português mesmo. Não se ensina mais latim nas escolas. Aliás, não ensinam nem a ler e muito menos a escrever em português, meu mestre. O Carlos Gomes também reclamou da educação.

— Não foi o Mário Quintana quem disse que o pior analfabeto é o que sabe ler e não lê?

— Foi.

— Pois.

Para encerrar, o agradecimento ao Google Tradutor pelo nosso parco latim.

CHARLES MILLER:
O PAI DO FUTEBOL OUVIA BEETHOVEN

* SÃO PAULO 24 DE NOVEMBRO DE 1874 † SÃO PAULO, 30 DE JUNHO DE 1953

No dia 18 de fevereiro de 1894, um jovem de 19 anos, com cara e sotaque de inglês, chega ao porto de Santos. Passaporte brasileiro, não era descendente de português, de índio ou de negros. O nome do rapaz branquelo: Charles William Miller.

Foi barrado na alfândega de Santos, depois de descer de um vapor que vinha da Europa. O que ele teria naquele baú trancado a sete chaves? Abriu. O fiscal não entendeu aquele sapato com sola esquisita.

— É para jogar *foot-ball*, um esporte que está em voga na Inglaterra, de onde estou chegando. Joga com isso aqui.

Mostrou duas bolas de couro murchas. Pegou um instrumento ainda mais estranho. Uma bomba de encher bolas de capotão. Encheu uma delas e começou a fazer embaixadas. As pessoas o rodearam. Charles Miller, soube-se depois, jogara profissionalmente num time inglês chamado Corinthian. Jogou também no St. Mary. Lá. Era *centre forward*. Ou centroavante, se preferirem.

Charles Miller nasceu em 1874 — ainda no Império —, filho de um escocês chamado John d'Silva Miller e de dona Carlota Fox, brasileira filha de ingleses. Mr. John Miller veio para o Brasil trabalhar na São Paulo Railway Company (mais tarde conhecida como Estrada de Ferro Santos-Jundiaí).

Quando Charles tinha 10 anos, os Miller o mandaram para o sul da Inglaterra, onde ficaria durante seus próximos dez anos. Para estudar. Quando voltou para o Brasil e foi trabalhar com o pai na companhia de ferro, não se sabia bem o que havia estudado. Mas um lance ele havia aprendido lá: jogar *foot-ball*.

Naquele baú, além das bolas, da bomba de encher e da chuteira, vieram dois jogos de camisas usadas e numeradas de 1 a 11, um livrinho com as regras do jogo e um apito.

O Brasil, depois de Charles Miller, nunca mais seria o mesmo.

Um ano depois aconteceria o primeiro jogo de futebol no Brasil. Um esporte que mudaria a cultura do povo para o qual os esportes mais populares eram o remo e a peteca. Nem os índios, nem os portugueses, nem os negros: o futebol, esta "coisa" inglesa, estava introduzindo algo incrível na cultura brasileira. Quarenta e seis anos depois, em outubro de 1940, nasceria um negro, aqui no Brasil, que, como Galanga do Congo, seria um dos nossos reis. Pelé, o Rei do Futebol. Muita bola rolou entre o primeiro jogo no Brasil e junho de 58, quando o Brasil se tornou, pela primeira vez, campeão do mundo com seis negros no time num país de brancos, a Suécia.

Depois de caminharmos a pé pela longa e deserta praça Charles Miller, entramos no estádio Paulo Machado de Carvalho, o Pacaembu, onde conversamos no bar anexo ao restaurante do Museu do Futebol. Ali, percorremos boa parte dos 6.900m² de história do futebol brasileiro. Pedimos uma garrafa de um autêntico escocês. Um Old Pulteney. A editora estava pagando, é claro.

Charles tem cara de inglês. Jeito de inglês. Fala baixo, escuta o que o outro diz. É um *gentleman*.

— Naquele dia, ao desembarcar em Santos, podia imaginar que o futebol viraria isso?

Pergunto isso girando o braço, apontando parte do museu. Ele está com os olhos marejados, meio segurando um sorriso nostálgico. Um choro, talvez.

— Enquanto andávamos por aí, me lembrei do que o meu pai disse, com um fortíssimo sotaque escocês, quando lhe contei que iria deixar o emprego para me dedicar ao futebol: "Isso é profissão que se apresente?" Gostaria que o velho e bom John e a dona Carlota vissem isso tudo. Valeu ter vivido, *my friend*! Eles ficariam orgulhosos de mim, da Inglaterra e da Escócia.

O garçom trouxe o gelo e nos serviu. Um tim-tim, e a conversa rolou tão fácil quanto o velho Pulteney.

— Mr. Miller, vamos começar pelo começo.

— Sem o mister, por favor. — Ele sorri meio sem jeito. — Sou brasileiro. Nasci ali no Brás.

Sorrio.

— Ok. Todo mundo sabe que foram os ingleses quem inventaram o futebol. Mas quem, quando, como?

— É uma pergunta difícil. Mesmo na Inglaterra são várias as versões. Existem histórias incríveis, que citam até Homero. Como é certo que os chineses e japoneses já chutavam algum objeto redondo há muitos séculos.

— Sim, eu soube que na China era meio comum chutar os crânios dos inimigos derrotados.

— Depois tem o *kemari*, no Japão. *Ke* é chutar, e *mari* é bola, em japonês. Vamos falar do futebol como existe hoje. Surgiu nos colégios ingleses. Os professores de educação física inventaram dois esportes. Um que só podia usar os pés, e outro que só podia usar as mãos: o futebol e o rúgbi. Com o tempo, o futebol deixou o goleiro usar as mãos, e surgiu o pontapé do rúgbi. Vamos voltar ao futebol de hoje.

— Você dizia que o futebol foi inventado nas escolas.

— Sim. E as regras continuam as mesmas até hoje. A única mudança foi o impedimento, inventado depois. Já no começo do século XX.

— Por que onze jogadores?

— Porque cada classe tinha dez alunos. E o professor ficava no gol. E 45 minutos era o tempo do intervalo entre as aulas.

Ele ri, achando que eu não acreditaria.

— Incrível isso.

— É verdade! Então, o tamanho do campo foi feito em função do número de jogadores, entende? Eu comecei jogando no meu colégio, o Banister Court School, no sul da Inglaterra.

— Você chegou com uniforme para dois times, as bolas, a bomba, o apito e as regras. E como foi organizar o primeiro jogo de futebol no Brasil?

— Tu não vais acreditar, eu era técnico dos dois times. Mas jogava em um só. E era o juiz do jogo, porque só eu que sabia as regras, né?

— E quais eram os times?

— Eram quase todos funcionários ingleses da Companhia de Gás e da São Paulo Railway, onde eu e meu pai trabalhávamos. Meu time ganhou de 4 a 2.

ORDEM E

— E os times? Quando começaram a surgir sem você como técnico?

— Logo. A paixão pelo esporte foi imediata. Aquele primeiro jogo foi em 1895. Dez anos depois já tínhamos muitos times no Brasil. De Norte a Sul.

— Já fiz uma lista. Vamos lá. Times que existiam até 1905, dez anos depois do primeiro jogo: Sport Club Rio Grande (Rio Grande-RS, 1900), Associação Atlética Ponte Preta (Campinas--SP, 1900), Esporte Clube Vitória (Salvador-BA, 1901), Esporte Clube 14 de Julho (Santana do Livramento-RS, 1902), Fluminense Football Club (Rio de Janeiro-RJ, 1902) que foi o primeiro clube a usar a palavra futebol no nome, Grêmio Foot-Ball Porto Alegrense (Porto Alegre-RS, 1903), Bangu Atlético Clube (Rio de Janeiro--RJ, 1904), Botafogo de Futebol e Regatas (Rio de Janeiro-RJ, 1904), América Football Club (Rio de Janeiro-RJ, 1904) e Sport Club do Recife (Recife-PE, 1905).

— Já dava para fazer um belo campeonato brasileiro.

— Desses onze times, quatro já foram campeões brasileiros. Fluminense, Grêmio, Botafogo e Sport (que os flamenguistas me perdoem). E você jogou até quantos anos?

— Joguei até 1910, parei aos 36 anos. Virei árbitro, acredita?

— Duas perguntas. Chegou a assistir a algum jogo da Copa de 1950? Você estava com 76 anos. E para que time torcia aqui no Brasil?

— Sobre meu time não posso responder. Modéstia à parte, me sinto pai de todos eles, sob certo aspecto, não é mesmo, *my friend*?

— Ok. E a Copa de 50? Estava no Maracanã no dia fatídico da final contra o Uruguai?

Ele me olha, olha para o teto, fica sério.

— Não vamos falar neste jogo. Tenho tantas belas e inesquecíveis lembranças do futebol...

— Esta também, infelizmente, é inesquecível.

Ele morde o lábio inferior. Nos serve mais uísque. Fecha os olhos como a recordar. Dá um gole, estala a língua.

— Sim, eu estava lá. Me ofereceram um lugar num camarote, preferi ficar incógnito, onde sempre gostei de ver futebol: atrás do gol. E posso te afirmar: não foi frango do Barbosa. Eu estava bem ali. Ninguém defenderia aquele chute do Ghiggia.

— Concordo com você.

— Infelizmente, estávamos nos anos 50, e o racismo ainda era muito forte no Brasil. Alguém tinha que levar a culpa pelo tremendo desastre. Foi o negão um dos maiores goleiros da história do Vasco e do Brasil.

— E você sabe que, depois do Barbosa, nenhum outro goleiro afro-brasileiro (é assim que se fala hoje. Sabia de mais esta americanizada nossa?) defendeu a seleção brasileira em copas do mundo até que o Dida em 2002, quando foi reserva do Marcos e campeão do mundo? E ele foi titular em 2006. Ou seja, um negro, perdão, um afro-brasileiro, só voltou a ser goleiro titular do Brasil 56 anos depois do Maracanaço.

— É, *my friend*, a culpa e o racismo existem ao lado da cordialidade brasileira até hoje.

— Mudando de assunto: você foi casado com uma das maiores pianistas do Brasil, conhecida internacionalmente, a Antonieta Rudge, também de origem inglesa. Deixou uma descendência conhecida em São Paulo, a família Rudge Miller. Como era o convívio entre um jogador de futebol e uma pianista internacional?

— Complicado, né? A gente se amava muito, mas eram dois mundos diferentes, principalmente nos anos 20 e 30, quando ela frequentava a turma da Semana de Arte Moderna de 22. Eles viviam lá em casa. O Mário e o Oswald de Andrade, a Tarsila...

Aí pergunto de um modernista que não era descendente de português, de índios ou de negros. O Brasil recebia imigrantes de países europeus. Um filho de italianos:

— O Menotti del Picchia...

— Não precisava me lembrar dele, senhor.

Ele para de falar, como relembrando uma situação constrangedora. Mas comenta:

— Era quase dez anos mais novo do que ela. Poeta, sabe como é... Ela se encantou. Nos separamos, ela foi morar com ele. Depois se casaram. Tudo muito civilizado. Sabia que ela é uma das poucas mulheres com busto em São Paulo? Fica em Pinheiros. Tocava Chopin e Beethoven como ninguém.

— Pelo jeito, foi a mulher da sua vida.

— Sim, com certeza.

— A Norma Bengell fez um curta-metragem sobre ela: *O êxtase em movimento*. Acho que foi em 2003 ou 2004.

— O título é perfeito. Ela era um êxtase em movimento. Estamos falando muito dela. Me deixa limpar as lágrimas. Voltemos ao futebol.

Tira um lenço branco do bolso de trás da calça. Limpo e britanicamente dobrado. Limpa-se.

— Desculpe. Me lembrei dela tocando a Quinta de Beethoven.

Balanço a cabeça como se isso não fosse nada. Resolvo mudar completamente de assunto.

— Você fundou um time de futebol. Como foi isso?

— Sim, o São Paulo Athletic Club. No final dos anos 90, começo do século XX. Fomos campeões paulistas em 1902 e 1903 e 1904. E eu fui artilheiro em 1902, com dez gols, e, em 1904, com nove.

— E o Friedenreich? Chegou a jogar com ele?

— Eu já havia parado. Vi muitas partidas dele, apitei algumas, inclusive. Ele foi artilheiro do Paulista seis ou sete vezes. Um artilheiro nato. Só Pelé foi mais vezes artilheiro paulista do que ele. Acho.

— Para encerrar, Charles, a pergunta óbvia: como vê o futebol brasileiro hoje?

— Primeiro, vamos deixar claro que estamos conversando antes da Copa de 2014. Qualquer que tenha sido o resultado, a minha resposta é a mesma. O jogador brasileiro é o melhor do mundo. Só que joga na Europa e na Ásia. Infelizmente. A sobra, o que ficou aqui, é um bando de jogadores chutando a bola para a frente. Futebol não é vôlei! Não temos mais nenhum técnico de futebol no Brasil. Eles ainda discutem se vão jogar com dois ou três zagueiros, com quantos volantes. Isso não existe mais. Futebol é um esporte coletivo. Menos o praticado aqui no Brasil.

— Obrigado.

Ele se levanta, me dá um aperto de mão e me surpreende:

— E o Clube Atlético Linense, como vai?

AGRADECIMENTOS

Alana Della Nina,
Ana Paula Laux, Antonio Prata,
Chico Buarque, Emilio Fraia,
Fernando Morais, Francisco
Paolillo Neto, Guiomar de
Grammont, Hélio Campos
Mello, Jorge Ben, Lúcia Ferreti,
Luciana Bisker Arouche de
Toledo, Luís Carlos Osório,
Mary del Priore, Michela
Damascena, Rubem Fonseca,
Ruy Guerra, São Pedro SPA
Médico (Sorocaba), Sergio
Antunes, Sérgio Buarque de
Holanda, Sergio de Otero
Ribeiro e Tatiana Ribeiro.

REVISÃO HISTÓRICA
Angela Marques da Costa

ÍNDICE

A

Adelina Peri *196*
Ademar Pereira de Barros *35*
Adolf Hitler *82*
Adolfo Bloch *172, 175*
Afonseca *172, 173, 176*
Afonso Pena (presidente) *227*
Agripa Vasconcelos *86, 169, 172, 173, 175*
Alberto da Costa Pereira *14*
Alcides Ghiggia (jogador) *237*
Aleijadinho *87, 89, 90, 92*
Antônio Francisco Lisboa *89*
Allen Ginsberg *42*
Ambrosina *189, 193, 194*
América Football Club *236*
Américo Vespúcio *14, 19*
Ana Augusta *148*
Ana de Amsterdam *68, 72*
Analfabetismo *70, 157, 170, 175, 184, 228*
André Rebouças *196*
André Thévet *58*
André Vidal de Negreiros *74*
Antonieta Rudge *237*
Antônio Carlos Magalhães *218*
Antônio Cunha *110*
Antonio Ganzarolli *67*
Antonio Pedro *67*
Arariboia (Martim Afonso) *31, 38, 53, 55-58, 60, 61*
Associação Atlética Ponte Preta *236*

B

Bangu Atlético Clube *236*
"Bárbara" (obra) *75, 76 (+)*
Barbosa (jogador) *237*
Beatles *40*
Beethoven *229, 238*
Bernardina Quitéria *125*
Betty Faria *67*
Bispo Sardinha (Pero Fernandes) *24, 25, 43, 45, 46, 48*
Bobô (jogador) *218*
Botafogo de Futebol e Regatas *236*

C

Cacá Diegues *95, 97, 103, 104*
Caetano Veloso *212, 218*
Calabar *63, 65, 67, 68, 69, 74*
Calabar (peça teatral) *67*
Capitu *199, 201, 202, 207*
Cardeal Richelieu *26*
Carlos Gomes *104, 105, 187, 189, 190 191, 228*
Carlota Fox *232*
Carlota Joaquina *109, 114, 129, 130, 132, 134, 135*
Carolina Augusta Cesarina *121*
Castro Alves *85, 154, 209, 211, 212, 221, 222, 224*
Catarina de Médici *30*
Chalaça (Francisco Gomes da Silva) *139, 140, 142, 144-147*
Charles Miller *229, 231, 232, 239*
Chico Bittencourt Sampaio *189*
Chico Buarque *42, 67, 68, 73, 196, 212*
Chico Rei (Galanga) *77, 79, 80, 84, 173, 232*
Chopin *238*
Cláudio Manuel da Costa *119, 120, 122, 125, 126*
Clarence Seedorf *73*
Clémence Saisset *148*
Clementino de Almeida Borges *174*
Clério José Borges *60*
Clodovil *172*
Clube Atletico Linense *239*
Coentrão (jogador) *14*
Cometa Halley *170, 175*
Conde de Valadares *96*
Conde d'Eu *182*
Condessa de Barral *193, 194*
Cristóvão Colombo *14, 19*
Cristóvão Lins *69*
Cunhambebe *56,57*
Cunhambebe Filho *36, 37, 57*
Czar Nicolau II *219, 226, 227*

D

Dalila (peça teatral) *216*
David Jardim Junior *28*
Dirceu Magri *30*
Dom Casmurro *199, 201, 202, 204, 206-208*
Dom João III *45*
Dom João VI *18, 109-112, 114, 127, 129, 130*
Dom José Gaspar *176*
Dom Pedro I *74, 109, 111, 114, 115, 130, 137, 139, 140, 144, 146, 147, 148, 151, 153, 157, 161, 162, 164, 165, 166*

Dom Pedro IV *144*
Dom Pedro II *37, 111, 112, 140, 146, 147, 173, 184, 193, 194, 196, 214, 222*
Dom Pedro Leitão *45*
Dona Beja *79, 167, 169, 170*
Dona Maria I *107, 109, 110, 115, 119, 120, 121, 129, 130, 141*
Dona Maria, a Louca (obra) *110*
Dori Caymmi *67*
Dorival Caymmi *218*
Duarte da Costa *47, 48, 51, 52*
Duque de Caxias *125, 182, 184, 185*
Dutra (presidente) *176*

E

Edir Macedo *41*
Edu Lobo *67*
Eduardo Bueno *15*
Eleutério *84*
Elis Regina *191*
Elisabeth Taylor *131*
Escobar *199-208*
Esporte Clube 14 de Julho *236*
Esporte Clube Vitória *236*
Estácio de Sá *38, 57, 58, 60*
Estádio Maracanã *236*
Estádio Paulo Machado de Carvalho *232*
Eugênia Câmara *212, 214, 216, 222*
Eugênia Joaquina da Silva *121*
Eusébio da Silva Pereira *14*
Evaldo Pauli *23*
Evaristo da Veiga *141*

F

Fabiana Jaguari *189*
Faculdade de Direito de São Paulo *162, 166, 189, 221, 222*
Faculdade de Medicina do Rio de Janeiro *211*
Fagundes Varela *212*
Falstaff (obra) *192*
Fernanda Montenegro *67*
Fernando Gabeira *38*
Fernando Henrique Cardoso *151, 228*
Fernando Morais *226*
Fernando Peixoto *67*
Fernando Torres *67*
Fidel Castro *14*
Flávio São Tiago *67*
Fluminense Fooball Club *236*
Fortunato Botelho *174*
Francisco de Sousa Lobato *132, 134, 135*
Franciso Solano López *179-186*
Friedenreich (jogador) *239*
Furtado Coelho *216, 217*

G

Gargântua (obra) 28
Gilberto Gil 218
Giulia Gam 16
Glauber Rocha 218
Gonçalo Coelho 19
Gonzaga (peça teatral) 217
Grêmio Foot-Ball Porto Alegrense 236
Guerra de Secessão 182
Guerra do Paraguai 179, 184, 211
Guilherme van Milaenem 73
Guiseppe Verdi 191, 192

H

História da Conjuração Mineira (obra) 126
Hélio Eichbauer 67
Hélio Ary 67
Homero (obra) 233

I

Içá-Mirim (Monsieur Binot Paulmier de Gonneville) 23-25, 30, 56
Imara Reis 67
Imperatriz Amélia 139, 147
Imperatriz Caroline 139, 145, 147, 162, 164
Inês de Castro 13
Ingrid Bergman 227
Irmã Dulce 218
Isabel de Castro 13, 18
Isabel Lutosa 146
Isadora Duncan 104, 105, 197

J

Jacques Lacan 224
Jack Kerouac 42
Joana d'Arc 29, 151
Joana Mendonça 174
João Carneiro de Mendonça 173
João de Almeida Beltrão 121
João Fernandes de Oliveira 96
João Ubaldo Ribeiro 218
Joaquim Norberto de Souza e Silva 125
Joaquim Ribeiro da Silva 174
Joaquim Silvério dos Reis 124, 125
John d'Silva Miller 232
Jorge Amado 211, 214, 216, 218, 221
Jorge Ben 93
Jornal *A Tarde* 221
Jornal *Última Hora* 68
José Agostinho de Macedo 134
José Antônio da Silva Castro 154, 211
José Cordeiro de Medeiros 154
José de Alencar 194, 196, 212, 213
José de Anchieta (cenógrafo) 68
José Ferreira Bretas 92
José Wilker 95, 96, 104
Journal of a Voyage to Brazil (obra) 151
Julia Roberts 131

L

Laurentino Gomes *221*
Lei Rouanet *85*
Leonídia Fraga *212, 214, 217*
Leyla Perrone-Moisés *23*
Louis Pasteur *42*
Lucrécia Bórgia *24*
Luís de Camões *38*
Lula (presidente) *222, 228*

M

Machado de Assis *201, 204, 207, 208, 212*
Madame Lynch *177, 179*
Mãe Menininha do Gantuá *218*
Maitê Proença *169, 173, 175, 176*
Major Augusto de Andrade Góes *81, 84*
Manuel Francisco Lisboa *89, 90*
Manuel José Gomes *189, 192*
Maria Augusta Viana Bandeira *222*
Maria Benedita de Castro Canto e Melo *148, 161, 164*
Maria do Céu Guerra *110*
Maria Graham *151*
Maria Quitéria *149, 151, 152, 157, 211*
Maria Suart *30*
Marília de Dirceu *125*
Mário Coluna *14*
Mário de Andrade *238*
Mário Quintana *228*
Marquês de Resende *165*
Marquês de Sade *152*
Marques Rebelo *173*
Marquesa de Santos (Domitila de Castro Canto e Melo) *144, 146, 148, 159, 161, 162*
Mary del Priore *161*
Matias de Albuquerque *70*
Maurício de Nassau *68, 73, 74*
Maximiliano *144*
Médici *19*
Mem de Sá *38, 57, 58*
Menotti del Picchia *238*
1889 (obra) *221*
Millôr Fernandes *207, 208*
Moacir Werneck de Castro *226*
Muzinga *80-82, 86*
Myriam Muniz *191*

N

Napoleão Bonaparte *18, 111, 120, 130, 135, 181, 186*
Napoleão III *177, 179, 181*
Naum Alves de Souza *191*
Newton Quadros Cairo *216*
Nhá Rosaura *97, 98*
Nicolas Durand de Villegaignon *29, 31, 56,*
Noémi Thierry *148*
Norma Bengell *238*

O

Obina *218*
Octávio Tarquínio de Sousa *135*
Odilon Wagner *67*
O êxtase em movimento (obra) *238*
O gato que cheirou e não comeu (obra) *134*
O Guarani (livro) *196*
O Guarani (ópera) *105, 189, 191, 192, 198*
Oscar Wilde *208*
Os Lusíadas *13, 38*
Os Feitos de Mem de Sá (obra) *38*
Oswald de Andrade *46, 104, 105, 197, 238*
Otello (obra) *192*

P

Pablo Neruda *212, 214*
Padre Anchieta *33, 35, 36, 38, 55, 57*
Padre Manuel da Nóbrega *35, 36, 38, 41*
Padre Rolim *95, 100, 103*
Pantagruel (obra) *28*
Papa Alexandre VI *24*
Papa Francisco *41*
Papa Paco *35*
Patrick Wilcken *132*
Paulo Salim Maluf *14, 16, 18*
Pedro Álvares Cabral *11, 13-16, 18*
Pedro de Bragança *111, 112*
Pelé *232, 239*
Perfeito Fortuna *67*
Pero Vaz de Caminha *19, 20*
Perpétua Mineira *119, 120*
Poema à Virgem (obra) *35, 36*
Praia do Flamengo *56, 57, 58*
Princesa Isabel *146, 185, 197, 222*

Q

Quilombo de Palmares *70*
Quitéria Rita *95, 96, 100*

R

Rabelais *28, 29*
Rainha Elizabeth II *112*
Rainha Maria Antonieta *145*
Real Biblioteca Pública da Corte *112*
Real Madrid *82*
Regina Dourado *218*
Rei Henrique II *30*
Richard Burton *131*
Robert de Sorbon *25*
Rogéria (Astolfo Barroso Pinto) *110*
Rolling Stones *40*
Rubem Fonseca *193, 194*
Rui Barbosa *212, 214, 218, 219, 221-223, 227*
Rússia *227*
Ruy Guerra *09, 67, 68, 73*

S

Sá de Miranda *58*
São Paulo Athletic Club *239*
São Paulo Railway Company *232, 234*
Schalke 04 (clube de futebol) *82*
Segunda Guerra Mundial *82, 146*
Semana de Arte Moderna *238*
Sigmund Freud *203, 223, 224*
Sport Club de Recife *236*
Sport Club Rio Grande *236*

T

Tancredo Neves *122*
Tarsila do Amaral *238*
Teatro alla Scala *187, 189, 198*
Teatro Barraca *110*
Tetê Medina *67*
Tiradentes (Joaquim José da Silva Xavier) 112, 117, 119
Tobias Monteiro *132*
Tom Zé *218*
Tomás Antônio Gonzaga *119, 124, 125*

U

Universidade de Coimbra *35, 120*
Universidade de São Paulo *30, 173*
Universidade Federal de Santa Catarina *23*
Universidade Sorbonne *25, 26, 120*

V

Valdirene do Carmo Ambiel 139
Vasco da Gama (clube) 237
Vinicius de Moraes 212
Vinte Luas (obra) *23*
Visconde de Barbacena *120, 124, 125, 165*

W

Walmor Chagas 95, 96, 104
Wladimir Herzog 122

X

Xica da Silva 79, 93, 95-98, 100-105

Yul Brynner 227

Z

Zdenek Hampl 67
Zezé Motta 95, 96, 97

Este livro foi composto
com a tipografia FF Scala,
em corpo 10.5 e entrelinha 15.
Nas aberturas, foi utilizada
a fonte Tokyo. Foi impresso em
papel offset 90g/m² na Prol Gráfica.